Mujeres engañadas

Beatriz Espejo/Ethel Krauze
Coordinadoras

Mujeres engañadas

MUJERES ENGAÑADAS

D. R. © Beatriz Espejo/Ethel Krauze, 2003

D. R. © Elena Garro, Guadalupe Amor, Guadalupe Dueñas, Rosario Castellanos, Amparo Dávila, Inés Arredondo, María Luisa Mendoza, Tita Valencia, Aline Pettersson, Beatriz Espejo, María Luisa Puga, Yolanda Sierra, Bárbara Jacobs, Alejandra Rodríguez, Ethel Krauze, Ana Clavel

ALFAGUARA MR

De esta edición:

D. R. © Santillana Ediciones Generales, S.A. de C.V., 2004
Av. Universidad 767, Col. del Valle
México, 03100, D.F. Teléfono 54207530
www.alfaguara.com.mx

- Distribuidora y Editora Aguilar, Altea,Taurus, Alfaguara, S.A.
  Calle 80 No. 10-23. Santafé de Bogotá, Colombia
  Tel: 6 35 12 00
- Santillana S.A.
  Torrelaguna, 60-28043. Madrid
- Santillana S.A., Avda. San Felipe 731. Lima.
- Editorial Santillana S.A.
  Av. Rómulo Gallegos, Edif. Zulia 1er. piso
  Boleita Nte. Caracas 1071. Venezuela.
- Editorial Santillana Inc.
  P.O. Box 5462 Hato Rey, Puerto Rico, 00919.
- Santillana Publishing Company Inc.
  2043 N. W. 86 th Avenue Miami, Fl., 33172 USA.
- Ediciones Santillana S.A. (ROU)
  Javier de Viana 2350, Montevideo 11200, Uruguay.
- Aguilar, Altea, Taurus, Alfaguara, S.A.
  Beazley 3860, 1437. Buenos Aires.
- Aguilar Chilena de Ediciones Ltda.
  Dr. Aníbal Ariztía 1444.
  Providencia, Santiago de Chile. Tel. 600 731 10 03
- Santillana de Costa Rica, S.A.
  Apdo. Postal 878-150, San José 1671-2050, Costa Rica.

Primera edición: mayo de 2004

ISBN: 968-19-1361-2

D. R. © Diseño de cubierta: Sergio Gutiérrez

Impreso en México

Índice

Prólogo
Ethel Krauze

"¿Mujeres engañadas? ¡No, mejor mujeres que engañan!" Con esta frase nos respondieron prácticamente todas las autoras vivas de esta selección cuando las convocamos a formar parte de una antología sobre el tema. Beatriz Espejo y yo, luego de unos breves parpadeos, asumimos inmediatamente el reto y nos ofrecimos a poner manos a la obra. Mientras tanto, los cuentos que ya habíamos reunido de autoras fallecidas, con la variedad y la calidad que ostentan, nos obligaron a concluir nuestra tarea inicial, y pronto hallamos entre las generaciones siguientes el complemento brillante de esta muestra.

Mujeres engañadas es la tercera antología temática que hemos armado juntas y no será, como ya he anunciado, la última. Le anteceden *Atrapadas en la casa* y *Atrapadas en la cama* (Alfaguara, 2002). Varias son las consideraciones que nos motivan a continuar esta aventura. Los estudios de género en literatura han sido soslayados por aspectos sociales, culturales y aun políticos. Creemos que es necesario afrontar directamente el asunto desde el texto mismo, comenzando por las obras literarias escritas por mujeres contemporáneas. Si tomamos en cuenta que actualmente el número de escritoras es mayor que el de escritores, y mucho más el de lectoras que el de lectores, comprenderemos la importancia de este fenómeno y su consecuente necesidad de reflexión.

La literatura hecha por mujeres en el siglo XX, siglo en el que la mujer adquiere la ciudadanía y el derecho a tener voz pública, es representativa de un profundo cambio en las relaciones humanas. A partir de que las escritoras se constituyen en un complejo social, y no sólo en la excepción que confirma la regla como en épocas pasadas, la necesidad de reescribir la Historia, y escribir la propia historia se convierte en el sustento de esta nueva literatura, que se diferencia de la tradición y el contexto desde los que sus colegas varones han venido escribiendo.

¿Cuáles son las señas particulares de la literatura hecha por mujeres en el siglo XX mexicano? ¿Sus temas, sus tonos, sus preferencias estructurales? ¿Qué tanto aportan a la evolución de la literatura? ¿Cómo y cuánto están siendo adoptadas por los varones que escriben?

Estas y otras preguntas tendrán que responderse a través de una lectura minuciosa y analítica. Las acusaciones de literatura "light", "rosa" o "menor" que padece la obra de mujeres, precisamente por sus señas particulares, o dicho de otro modo, porque no cumple con los paradigmas que la crítica patriarcal ha impuesto sobre el consenso, habrán de pasar por el tamiz de la argumentación, la ejemplificación y la comparación, para contribuir a la evolución de la teoría literaria en el siglo XXI.

Beatriz Espejo y yo hemos propuesto esta plataforma inicial para que sirva de estímulo a la futura reflexión e investigación literaria. La creación de antologías temáticas nos permite leer directamente a las autoras mexicanas desde las pasiones que ellas mismas se descubren y construyen para sí, y es el primer paso para romper la barrera de la crítica oficial y forjar nuevos criterios más acordes con la realidad actual.

Mujeres engañadas es una muestra representativa de los cambios que corren en la vida y la escritura femenina. La antología abre con la mujer que se deja morir y cierra con la que suelta una carcajada. Aunque, como en las antologías anteriores, el tema nace de un análisis de textos previamente publicados, en esta ocasión no hemos respetado ningún orden ortodoxo: las autoras no están reunidas bajo el alfabeto ni la cronología; son los textos mismos los que armaron su propio tramado y construyeron el círculo del engaño donde habitan los personajes. Beatriz Espejo siguió los dictados de su espléndido instinto literario, trabajado a lo largo de años de lectura, investigación y escritura, para descubrir el orden necesario en la presentación de estos cuentos, que es aquél de las protagonistas, el seguimiento de su evolución, el conjunto de reacciones y respuestas que van hilando un discurso femenino a manera de *manifiesto* entre líneas a propósito de esa patética frase: *mujeres engañadas*.

Este es, precisamente, un ejemplo de que los paradigmas tradicionales no son suficientes para un fenómeno emergente como lo es la literatura escrita por mujeres en el siglo XX. Hay que experimentar otros acercamientos, partir de la convicción de que vale la pena explorar, arriesgarse y subvertir el orden establecido si se quiere abrir brecha en el camino de la reflexión. Nuestros lectores decidirán si erramos o acertamos.

Introducción
Beatriz Espejo

En el empeño de ser felices transcurre nuestra vida; pero durante el camino al imposible damos topes de carnero, equivocamos el destino, bueno como él solo tendiéndonos trampas. Pretendemos llegar al paraíso y entramos a la selva del desconsuelo y quedamos allí, sentados sobre el musgo lodoso derramando lágrimas de sal ardida ante el engaño. Por eso duele tanto la traición que nos hacemos a nosotros mismos o las deslealtades que nos hacen y nos llevan hacia los senderos ásperos de la inocencia mancillada. Perdemos la ingenuidad debido a muchas circunstancias y esa pérdida causa heridas imborrables. Además, nunca cierran las cicatrices que deja una pasión mal correspondida. Nos volvemos suspicaces. Permanecemos en guardia, reconocemos mentiras que ofenden tanto a quien las dice como a quien las escucha. Y si el amor dichoso embellece, afea el amor que padece la perfidia. Entonces sobreviene un largo proceso para esgrimir la espada contra las serpientes del alma, aunque no cualquiera puede asestar el tajo del olvido.

El engaño no es exclusivo de la condición femenina; sin embargo para las mujeres siempre ha sido, incluso entrado el siglo XXI, motivo de enormes sufrimientos. Las escritoras mexicanas conocen, como casi todos los seres humanos, el desencanto y no tienen reparo al expresarlo igual que expresan problemas que les competen. Son parte de su historia personal o de las historias de quienes pueblan su mundo. Dominan su oficio y cuentan su visión de las cosas. Enfocan sus temáticas desde distintos ángulos mirándose al espejo propio o al de sus contemporáneas. Entre otros, abordan este asunto y dejan oír su voz y escriben historias con estilos particulares e inconfundibles. Así, aparece en nuestra literatura una galería de mujeres engañadas, la que se deja morir de amor, la que juega al matrimonio perfecto sabiendo que pasa noches insomnes como de virgen, la que acepta en su casa a la amante del marido, la que ha extraviado su autoestima, la burguesa que amanece divorciada, la que fantasea con que una aventura ocasional se volverá trascendente, la que llora inacabables quejas amorosas, la que rivaliza con su madre por el mismo hombre, la que se inventa una compañía invisible, la que imagina el beso del príncipe encantado y encuentra un matrimonio infernal de manzanas podridas, la que planea una escapada gloriosa y queda defraudada, la que se engaña hasta el punto de equivocar la ortografía de palabras elementales. Entre todas forman un caleidoscopio que nos invita a darle vueltas para hallar la sorpresa de diferentes reacciones: suicidio lento, venganza, resignación, cólera, burla, desenfado, la desaparición del piso bajo los pies, el oprobio del aguante, el paso a la demencia. Y como cualquier obra de mérito, los cuentos tienen muchas lecturas.

"¿Qué hora es, señor Brunier?", pregunta Lucía Mitre, y Elena Garro emprende una obra maestra. La estructura circular empieza por donde termina, señala el tiempo que avanza muy despacio en el reloj y es una de las obsesiones. Desde el principio marca timbres poéticos y una frase explica el final que deja varias posibilidades de interpretación: "Alguien está entrando en este cuarto... el amor es para este mundo y para el otro."

Se escarban los vericuetos de la memoria. Reconstruyen el momento en que la mexicana señora Mitre de treinta años, arropada por una chalina color durazno cuyas puntas parecían alas flotantes, entró a un hotel de lujo, le preguntó al portero la hora alegremente y le guiñó un ojo seguida por dos mozos que cargaban sus maletas. Con desenvoltura de quien acostumbra comerse el mundo a mordidas reservó una habitación junto a la suya para su amado procedente de Londres y esperó once meses en su cuarto sin que nada ocurriera. Las tardes se volvieron cortas, por las ventanas entró una luz oscura y fría y las estaciones dieron vuelta a su ronda acostumbrada. Esperó consumida en su espera, víctima del hechizo amoroso aguardando sin desánimo el milagro como vela prendida hasta agotar el pabilo en la soledad de su habitación. Sin hablar con nadie, sin dinero ni recados, telefonemas o cartas que la alentaran. Pagaba con sus joyas, un collar de perlas, unos aretes de diamantes, y seguía esperando mientras los empleados hacían conjeturas y proponían mudarla a un cuarto más barato buscando prolongar su estancia en el hotel.

Las omisiones manejadas con una singular habilidad no develan el misterio, no explican detalles; pero lo contado resulta suficiente. Crea atmósferas marrón y miel iguales a París en otoño. Revelan las consecuencias de una pasión en que alguien se empeña hasta la locura, deja atrás un matrimonio establecido, un país, unas rutinas, y atraviesa el fuego cuyas llamas invisibles matan a pausas. Lucía Mitre es engañada por su marido y por su amante, que no la aman con la misma fuerza con que ella ama. Es también una mujer que engañó y abandonó una casa con tapices de seda sobre las paredes; sin embargo nunca se lamenta o duda. Espera embellecida por la tragedia, convertida en materia incandescente hasta extinguirse. Este cuento, igual que otros de Elena Garro, tiene pistas autobiográficas transformadas gracias a la magia del arte en páginas hechizantes. ¿Constituye un homenaje ardoroso para Adolfo Bioy Casares? Probablemente. La única verdad es su asombrosa alquimia ingenua y sagaz, nacionalista y universal.

Guadalupe Amor, a quien sus amigos llamaban Pita, fue pionera en muchos sentidos. Actriz, poeta, modelo de Diego Rivera y de otros pintores, animadora de programas televisivos donde recitaba sus décimas. Princesa del escándalo y de la publicidad, incursionó en la prosa y escribió una novela y un libro de cuentos bajo la tutela de Juan José Arreola. Quizás por eso "La cómplice" emplea un lenguaje pulido hasta la orfebrería, metáforas y símiles algo arreoleros, frases cortas que ayudan a la síntesis y la rapidez. La temática original resume las confesiones de un ángel de la muerte que proporciona veneno suicida a sus amigas caídas en el laberinto de la desesperación causado por los insoportables engaños de sus respectivos amantes.

Guadalupe Dueñas fue un misterio en nuestra literatura. No se sabía la fecha exacta de su nacimiento, los motivos de sus prolongados silencios entre un libro y el siguiente, las causas de una larga enfermedad que la sacó de combate en sus años postreros. Los retratos la muestran con cabellos negrísimos y muy maquillada. Empezó a publicar tarde, pero abrió a fórmulas modernas al cuento escrito por mujeres. Su estilo se basaba en la elipsis y la habilidad de encontrar el asunto sin mayores preámbulos. Asombró a los críticos con la singularidad de su temática y de su lenguaje pulido. Amiga de las novelas góticas, escribió varios relatos donde pueden notarse tales aficiones. Demostraba además su ironía e ingenio. En ocasiones se aproximaba a la literatura fantástica suprimiendo lo que no fuera indispensable para conseguir sus propósitos. De tal suerte optó por el texto breve en el que se desenvolvió siempre con buenos resultados. "Conversación de Navidad" presenta las características de su estilo. Apunta el diálogo unilateral de quien habla vía telefónica con un amante casado incapaz de compartir las celebraciones, pues cubre apariencias. A su vez ella festeja acompañada por sus hermanas y sigue la falsa idea de la unión familiar en una noche carente de espontaneidad perpetrando costumbres extranjeras. Ahora la protagonista, a pesar de tener parientes, se siente huérfana, y en lugar de ser la engañada es la engañadora; muestra otro enfoque trágico de la condición femenina cuando asume el engaño: una vida incompleta donde la falta de estabilidad y la idea de un abandono inminente penden como espada de Damocles.

Rosario Castellanos sostuvo siempre un juego de reflexiones. Planteaba sus inquietudes y rencores. De lo particular pretendía llegar a lo general. En sí misma o en lo visto y oído desde su infancia buscaba ejemplos para que sus lectores pudieran reconocerse. Varias veces repitió que había dejado el diario íntimo cuando la literatura se le convirtió en una profesión; pero escribía cuentos, poemas, novelas, obras de teatro e incluso artículos periodísticos reconstruyendo pasajes autobiográficos o sus percepciones más personales y traumáticas. Tocó problemas que no se habían abordado antes, la frigidez femenina, el aborto, los contratiempos de un matrimonio abierto y desavenido. "Domingo" podría contarse entre sus últimas narraciones; denota gran poder de observación y una implacable valentía. Los diálogos y monólogos ingeniosos reflejan el modo de hablar característico entre intelectuales de los setenta. Los escenarios de Rosario dejaron la provincia y pasaron a la ciudad de México. Describen los salones de una casa abierta cada semana para cualquiera que llegara con una botella en la mano y problemas existenciales a cuestas. Los actores principales son un marido y Edith, pintora sin grandes reconocimientos. Y las claves, las personas reales detrás de las inventadas, se identifican sin dificultades.

Empieza por ahondar los lazos de pareja con hijos, jardín, horas de ocio y una intimidad gastada. Ambos guardan reservas de la unión cotidiana y conciliadora para dejar a salvo lo que habían construido. Están atados por vínculos sólidos que van desde las propiedades hasta la manera de tomar chocolate antes de acostarse. Existe también un engaño doble que lacera el corazón de Edith. Su marido y su primer amante, quien la inició en la pintura y fungió como maestro, la engañaron y siguen engañándola. Entonces recuerda sus dos amores terminados y se pregunta: ¿No estuvo a punto de morir la primera vez que supo que Carlos la engañaba? ¿No creyó que jamás se consolaría de que se hubiera ido Rafael? Sin embargo disfruta esa mañana de domingo y se dispone a saborear los acontecimientos que le deparará el día. En este punto, Rosario Castellanos cambia el tono, se acerca al detalle femenino que Katherine Mansfield trabajó tan bien en sus historias y lo conjuga con una naturaleza sarcástica muy suya. Abrillantaba las frases de su conversación y de su literatura. Las volvía un partido de tenis que en lugar de la consabida pelotita brincadora contestara demostraciones de ingenio y rapidez mental. Así, los posibles huéspedes producen en la anfitriona de "Domingo" el placer del anecdotario, de la liberalidad y, paradójicamente, de la crítica. Lentamente entra al conflicto con datos indispensables para entender la anomalía de lo narrado. El marido de Edith, mujeriego irredento, sigue engañándola. Su amante ha logrado convertirse en parte de una rutina: atenciones a los niños, acompañamiento en las reuniones hasta que dos esquinas del triángulo convergieron, fueron "amigas íntimas sin haber luchado como rivales". En realidad la actitud de Edith no es inocente. Convencida de que en un matrimonio los maridos son indispensables, admite a la amante del suyo; pero se siente excluida de la fiesta. Sabe que el matrimonio no ofrece antídotos contra la soledad y se consuela del engaño con tareas domésticas pendientes, con la tela que la espera en su estudio.

Amparo Dávila es una escritora de obra reducida. Ha publicado seis libros y una recopilación. Según sus propias palabras, el ejercicio del verso le sirvió para que sus narraciones tuvieran párrafos de alientos poéticos. Cuestiona el concepto tradicional del matrimonio y, como otras creadoras, se asoma a su vida por la puerta de la literatura. Tiene una sorprendente capacidad para hermanar realidad y fantasía, demencia y lucidez. También omite detalles. Suele enfocar dos historias al mismo tiempo. Sus personajes pasan de lo cotidiano a lo extraordinario. Honrada y original, toca problemas que le son o le han sido entrañables, casi siempre parten de una experiencia contada luego de un largo proceso. Sus relatos se ambientan en habitaciones, celdas, cuartos de hospital. Las personas no perciben las diferencias que van de la razón al enajenamiento. Se dejan atrapar por el miedo y cometen las mayores tonterías. Pierdan fuerzas y son incapaces de orientar su destino

"Música concreta", cuyo título evoca confusiones, nos mete a la trama desde la primera frase. De buenas a primeras cambia el curso de los acontecimientos cotidianos. Hay un encuentro casual que luego nos apabulla por su trascendencia. Un amigo se tropieza con Marcela, su novia de épocas adolescentes. La ve desmejorada y ella le lanza sin preámbulos una confidencia: "Luis me engaña y todo se ha roto entre nosotros." Resume los síntomas clásicos que dan peso a esa certeza: despego, ausencias, falta de comunicación. Marcela parece una morada en ruinas. Aparte padece otro tormento: la amante del marido la persigue. Y empieza a tenderse un hilo fragilísimo enredado con absurda tortura. Inevitablemente el lector se pregunta: ¿Los celos patológicos transforman a la rival en un sapo que al anochecer croa, cobra ímpetus, amenaza? ¿Y cómo explicar desde un panorama lógico las reacciones del confidente que nos cuenta los hechos?

Bajo los efectos del entusiasmo al terminar de leer *Los espejos,* el último de los tres volúmenes que conforman la obra profunda y excepcional de Inés Arredondo, me comuniqué con ella para decirle que era una de las mejores escritoras mexicanas del siglo XX. Contestó que intentaba ser de los mejores. No tenía lo que hoy llamamos *conciencia de género.* Padecía la condena ontológica de haber nacido sola y estar condenada a una muerte individual. Contaba de manera ortodoxa y singular aprovechando las pinceladas eficaces que trazaran su universo lleno de reminiscencias y evocaciones, colonizado por numerosas mujeres. Sus personajes aguardan, aun sin saberlo, una revelación. No para salvarse; para perderse cumpliendo un destino inevitable donde el libre albedrío está condicionado casi siempre a las circunstancias.

"En la sombra", hecho con bloques narrativos que se dividen en dos partes complementarias, empieza refiriéndose a las horas alargadas hasta la exacerbación. El marido no llega a dormir. Mientras espera, la esposa se ve con una fealdad que comparten las desdeñadas, siente la punzadura de los celos. Quiere reconocerse en miradas ajenas, necesita reconstruir su confianza. Aguarda al infiel que por fin aparece encarnando la imagen misma del cinismo, absorto en "el centro imantado de su felicidad". No tarda mucho para irse otra vez. Ella sale a la calle agobiada por no ser esa, la necesaria, la insustituible. Expulsada del paraíso en una especie de vigilia. Llega hasta un parque cercano. Allí contempla a tres pepenadores modelo de la condición humana más degradada. La miran, los mira, se mira en los ojos que habrán de reflejarla.

La China, María Luisa Mendoza, mantiene su propia imagen. No se parece a nadie, dueña de una originalidad muy suya para decorar su casa llena de objetos, cuadros y miniaturas. Personalísima en la forma provocativa de mover los labios cuando habla como pidiendo un beso, inescrutable al adjetivar sus textos, elegir metáforas, plasmar atmósferas, construir frases enormes como si no necesitaran respirar y las ideas cobraran vuelo y no quisieran dejarle a nadie la palabra. Alude a sus preocupaciones y se apasiona en la defensa de los toros, los insectos, los perros, las mariposas. ¿La llamaríamos barroca? Quizás. Si entendemos como barroco lo impensado y prolijo, lo que nos deja perplejos y conmueve los sentidos. "Fruta madura de ida" muestra tales características desde el título y los epígrafes. Desde la descripción de un regalo portado por una antigua nana. Lo envía ¿el esposo perdido? ¿Algún amante lejano de los años juveniles? Se trata de un canasto repleto de frutas tropicales. Forman un bodegón prodigioso como los pintados gracias a la destreza de nuestros artistas plásticos. Las frutas y la nana son el remanente de una infancia provinciana que para la China aparece y desaparece y se celebra rememorando los alrededores de Guanajuato. Con todo, dura segundos el placer de la belleza, del regalo que ha entrado por la puerta. La dicha momentánea queda aplastada por un presente solitario y depresivo, "el amor y el desamor se entrelazan, se luyen". Así surge la certidumbre del abandono, la idea de que las mujeres soportan una doble carga. A la protagonista le duele su entrega a un matrimonio y la doblega el desprendimiento del marido que se fue con otra más joven y hermosa. Le cansa la lucha inútil contra un dolor que no mitigan los viajes, los compromisos, ni siquiera las enfermedades. Y, como dice en su novela *De amor y lujo*, le duele hasta el pelo resignarse a que desaparezca el varón.

Tita Valencia, culta, sensible, pianista precoz, no escribe un cuento propiamente dicho con pasos básicos, planteamiento, desarrollo y desenlace. Los sufrimientos de "El penúltimo adiós" podrían durar la vida entera sin encontrar sosiego. Empieza *in media res* sus quejas motivadas por un olvidadizo. Escudriña su ardiente luto, se abrasa en busca de signos que respondan a sus invocaciones. Conoce las notas del martirio, las recorre como escalas de ejercicios ante el piano expresando el sufrimiento de la desoída. Se piensa una pordiosera que ha sufrido saqueos. Se autollama ingenua por haber creído que como el rey Midas tenía riquezas en las manos; pero a la hora de sufrir el boquete dejado por la ausencia definitiva su capital es sólo un cuerpecillo frágil, una garganta entonando cantos secretos y un llanto convertido en música.

Aline Pettersson reconstruye un viaje por tren a San Luis Potosí y el encuentro fortuito con un ingeniero. Cruzan algunas palabras, algunas mentiras. Cenan juntos en el vagón comedor. La narradora no se atreve a decir que su vida transcurre entre lápices y papeles. Por obra y gracia de su inventiva se convierte en dueña de una florería. Él promete, sin intenciones de cumplirlo, visitarla en casa de los parientes que seguramente la aguardarán en el andén. No hay mucho más, salvo el deseo, la puerta abierta del camarote, la fiebre repentina de un encuentro sexual satisfactorio, el desvirgamiento, la ausencia, un botón de camisa masculina para comprobar que no ha sido un sueño.

"Nina" se definiría sin reparos como el ama de casa contemporánea, empeñada en distinguirse por esa pulcritud tradicional en las mexicanas de clase alta que combaten las implacables cuarteaduras de la edad y de las relaciones matrimoniales; pero Nina padece vigilias que ella misma no se explica. Pasa crisis anunciadas con síntomas que se niega a entender. Escudriña recuerdos. Visita a su madre. Consulta al ginecólogo. Ordena su casa con meticulosidad fuera de moda. Halla el precario consuelo de amigas a quienes tampoco se confía y que quizá experimentan situaciones parecidas. Procura sostener su mundo mientras devela el mundo de una serie de mujeres pertenecientes a su misma condición con quienes comparte afinidades, ventajas económicas, la elegancia de usar vestidos y complementos de marca, valores impuestos y un desesperado esfuerzo por recuperar el pasado en que se creían más felices y protegidas dentro de horarios y obligaciones circulares que siguen las recién casadas, madres de hijos pequeños. Penan los cambios operados en ellas mismas, en la ciudad cada vez más complicada e insegura donde viven, en las costumbres modificadas por la modernidad, en una ruta invisible hacia la muerte de todo lo que las mantenía tranquilas dentro de una pompa de jabón tornasolada.

Escribí este cuento tras un largo proceso. Tenía la anécdota y no encontraba la manera de contarla aunque me tropecé con ella durante las festividades de una boda; sin embargo llegó el instante en que las frases se conjuraron impacientes por enlazarse dosificadas para no revelar el final o no revelarlo demasiado. Luego supe que la anécdota no era tan rara o insólita como la juzgué al principio. Este tipo de situaciones ocurren con frecuencia y debía ajustarme al tratamiento realista. Aparte me inquieta una interrogante abierta hacia el futuro: ¿qué será de Nina después del derrumbe?

A María Luisa Puga la avala una trayectoria sostenida por sus múltiples colaboraciones en periódicos y revistas, por sus libros cuyos títulos demuestran una labor fértil y sostenida. Vivió años en el extranjero, colaboró en la FAO y luego se refugió en Michoacán, donde ha seguido trabajando novelas, cuentos, ensayos que solivantan su prestigio. "Otra víctima" resulta algo extraño a la primera lectura, una especie de monólogo entre incongruente y desesperado, el rompimiento de ilusiones y planes ha dejado la confusión total. Un nerviosismo cercano al desvarío, sobre los resultados y los temores de tomar decisiones equivocadas; pero los seres humanos no sabemos, no podemos vislumbrar el futuro y vivimos a tientas con una venda en los ojos y los brazos extendidos palpando la oscuridad del día.

Yolanda Sierra es una periodista que incursiona en la radio. Ha sido promotora cultural, ejecutiva de la Televisión Mexiquense y actualmente dirige publicaciones médicas. Su texto regresa al ama de casa pequeño burguesa que en el supermercado compra provisiones semanales. Consulta la lista aceitosa hecha a la carrera y ante los nabos, lechugas y zanahorias intenta reponerse del golpe que le propinó su exmarido. Ocho días después de divorciarse casó en medio de bombos y platillos con otra mujer menos bella, pero mejor enterada de los placeres que pueden hallarse en una cama dispuesta, sin tantos escrúpulos ni la consecuencia de tantos embarazos. "Por favor cárguelo a mi cuenta" trenza el pasado y el presente. Reconstruye una historia común y por ello mismo cargada de fuerza e ironía, rabia, celos y sarcasmos que nos hacen sonreír; de falsas venganzas femeninas con que intenta alivio un corazón apachurrado al que ni siquiera ayudan frecuentes visitas al psicoanalista, la famosa terapia de apoyo. Sobreviene una catarata que cae sobre las divorciadas, falta de apellido y respetabilidad. Queda un saldo rojo, diríamos por decir algo. De aquí en adelante la narradora será gracias, a su tarjeta de crédito todavía vigente, la repudiada más elegante de México, con cuatro hijos que la obligan a responder preguntas incómodas. Aguantará los chismes de almas caritativas y seguirá visitando el mercado donde escuchará a la cajera preguntarle, ¡oh santa simplicidad!, si ha encontrado todo lo que buscaba.

Bárbara Jacobs fue compañera y esposa de Augusto Monterroso mucho tiempo. Juntos firmaron antologías notables. Traductora del inglés, asistió a un seminario sobre esa especialidad en El Colegio de México. Ha demostrado su filoso talento en diferentes géneros literarios, incluso el epistolar. Escribió cincuenta y tres cartas con la idea de no enviarlas a la revista *Time* pero provocadas por algo recogido en sus páginas, una reseña, la muerte de un artista, el arribo de un cometa. Se vuelven ensayos excelentes, textos imaginativos que apuntan su credo político y literario. En "Las bailarinas se alejan" acerca la cámara hacia una casa cuya fachada está cubierta con hiedra tupida y brillante. Se escuchan acordes. El segundo piso tiene balcón tapado por cortinas de gasa que transparentan a la anciana señora Blanco bailando durante la noche de San Silvestre. Come las doce uvas tradicionales y choca un par de copas para desearse buena suerte. Esconde los retratos de sus dos maridos y, como si amalgamara las vivencias buenas que le dejaron uno y otro, inventa a la pareja perfecta en una especie de masturbación mental y romántica. El coñac resulta su aliado y la señora Blanco se engaña un rato procurando alejar lo que no sea alegría, abundancia, risas.

Infatigable, vital, siempre con el aspecto de una adolescente, Ethel Krauze abarca muchas tareas y cubre varios frentes. Su labor se enriquece con múltiples propuestas. Es una autora prolífica y en constante producción. Sus más de veinte títulos abarcan gran diversidad de géneros e incluyen la poesía y la literatura infantil. Ethel se propone retos de los que siempre sale airosa. "Ping pong" aborda diálogos incisivos, directos en apariencia y retorcidos en el fondo, adecuados a la rivalidad de una madre y una hija que miden fuerzas y luchan por lo mismo. Olvidan parentescos y son dos mujeres frente a frente; una más chantajista; otra más poderosa; pero el juego se establece con situaciones soterradas sin permitirnos adivinarlo. Revelan lo que realmente sucede hasta el momento de la voltereta suprema. "Ping pong" omitió escenografías, explicaciones o rodeos. Sigue el método de Hemingway, que requiere verdadera maestría. Sólo se asoma la punta del iceberg y los personajes se pintan a sí mismos gracias al peso de sus palabras.

"Lecturas" de Alejandra Rodríguez Arango nos muestra a la escritora que aborda el último barco, maneja la intriga y se permite varios planos estructurales para describir su tarea particular, ensoñaciones, personajes de otros cuentos, referencias a su erotómano gato Casimiro. Otra vez el engaño se descubre hasta el último instante, como suele suceder, y al hacerlo descubre también la psicología compleja que tienen algunos hombres y mujeres algo arquetípicos, la literata fantasiosa y el joven don Juan. Alejandra estudió diseño gráfico y fotografía en el Museo de Arte Contemporáneo. Publicó reportajes en *México desconocido,* y en diversas editoriales. Fue alumna de la SOGEM; ha sacado una colección con un hermoso título: *Tantos rostros como madrugadas*, y se dedica por entero a la escritura.

Ana Clavel consigue un continuo ascenso desde sus comienzos en la Facultad de Filosofía y Letras y la revista *Punto de Partida* de la Universidad Nacional Autónoma de México. Emprende sus relatos desde los ángulos más certeros y procura estructuras eficaces. "Inocencias hitlerianas" es nuestra última selección. Encuentra sin tapujos una frase excelente para los propósitos y el desenlace: "Quiero tu pubis de niña." A partir de allí no suelta el interés que provoca desarrollando con rapidez su anécdota cortante, humorista. Nada sobra ni falta. Habla del correo electrónico, de la importancia extrema que la publicidad y los medios de comunicación dan ahora a los cuerpos perfectos y los orgasmos en serio y en serie, de las amistades superficiales sostenidas por jóvenes capaces de emprender viajes internacionales con la facilidad que sus salarios les permiten. Toman las riendas de una relación e intentan conducirla a su antojo. Y se llevan un palmo de narices...

Si juzgamos todo esto, cuando de engaños se trata las escritoras mexicanas han trepado la montaña rusa, escalado la cuesta de las olas, lanzado gritos al viento y llegado hasta la mansión de la locura; pero al comparar las propuestas aquí antologadas, admitimos que entre los cincuenta años de creación artística que separan a Elena Garro de Ana Clavel se han subido o bajado, según se opine, muchas escaleras. Los abismos van de la muerte por inanición a la risa loca.

¿Qué hora es?

Elena Garro

—¿Qué hora es, señor Brunier?

Los ojos castaños de Lucía recobraron en ese instante el asombro perdido de la infancia.

El señor Brunier esperaba la pregunta. Miró su reloj pulsera y dijo marcando las sílabas para que Lucía entendiera bien la respuesta:

—Las nueve y cuarenta y cuatro.

—Faltan todavía tres minutos... ¡qué día tan largo! Ha durado toda la vida. ¿Dios me regalará esos tres minutos?

Brunier la miró unos segundos: recostada, con los ojos muy abiertos y mirando hacia ese largo día que había sido su vida.

—Dios le regalará muchos años —dijo el señor Brunier, inclinándose sobre ella y mirándole los ojos castaños: hojas marchitas que un viento frío barría en aquel momento lejos, muy lejos de ese cuarto estrecho.

—Alguien está entrando en este cuarto... el amor es para este mundo y para el otro. ¿Qué hora es, señor Brunier?

Brunier volvió a inclinarse para ver aquellos ojos color té, que empezaban a irse, girando por los aires como hojas.

—Las nueve y cuarenta y siete, señora Lucía —dijo con tono respetuoso mirando a los ojos, que ahora parecían estar tirados en cualquier acera.

—Las nueve y cuarenta y siete —repitió supersticioso y deseando que ella le oyera. Pero ella estaba quieta, liberada de la hora, tendida en la cama de un cuarto barato de un hotel de lujo.

Brunier le tomó una mano, tratando de hallarle un pulso que él sabía inexistente. Con mano firme le bajó los párpados. El cuarto se llenó de un silencio grave, que iba del techo al suelo y de muro a muro. Sobre una maleta marchita estaba la chalina de gasa color durazno. La cogió y la extendió sobre el cadáver. Apenas hacía bulto en la cama. El pelo sepia formaba una mancha desordenada debajo de la gasa.

Brunier se dejó caer en un sillón y se quedó mirando los cristales brillantes de las ventanas. Afuera los automóviles de colores claros se llenaban y se vaciaban de jóvenes ruidosos. ¿Cuántos años hacía que, metido en aquel uniforme verde y dorado cuidaba la puerta del hotel? Veintitrés años. Así se le había ido la vida. Le pareció que sólo había abierto la puerta a malhechores. La banda era interminable y los "Buenos días", "Buenas tardes" y "Buenas noches", también interminables. Sólo la señora Mitre le había dicho al entrar: "¿Qué horas son?" La recordó perfectamente: venía seguida de dos mozos que le llevaban las maletas. No era demasiado joven, tal vez ya llegaba a los treinta años. Sin embargo, al pasar junto a él le sonrió con una sonrisa descarada. "Las señoras no sonríen así, sólo los muchachos", se dijo Brunier. Y para colmo, aquella señora le guiñó un ojo. Se sintió desconcertado. La viajera llevaba al cuello una amplia chalina de gasa color durazno cuyas puntas flotaban a sus espaldas como alas. Uno de los extremos de la chalina se quedó prisionero en una de las puertas y la sonriente extranjera dio un paso hacia atrás al sentirse estrangulada por la gasa. Brunier se precipitó a liberar la prenda y luego se inclinó respetuosamente ante la viajera.

—¡Gracias, gracias! —repitió la señora con un fuerte acento extranjero.

Brunier hizo una nueva reverencia dispuesto a retirarse. La extranjera lo detuvo sonriente.

—¿Cómo se llama?

—Brunier —contestó avergonzado por la falta de discreción de la señora.

—¿Qué hora es, señor Brunier?

Brunier vio su reloj pulsera.

—Las seis y diez, señora.

—El avión de Londres llega a las nueve y cuarenta y siete, ¿verdad?

—Creo que sí... —contestó el portero.

—Faltan tres horas y treinta y siete minutos —dijo la desconocida con voz trágica.

La extranjera cruzó el vestíbulo del hotel a grandes pasos. Su abrigo corto dejaba ver dos piernas delgadas y largas, que caminaban, no como si estuvieran acostumbradas a cruzar salones, sino a correr de prisa por las llanuras. Se inscribió en el hotel como Lucía Mitre, recibió su llave y anunció con desenvoltura.

—Reserven el cuarto 410 para el señor Gabriel Cortina que llega hoy en el avión de Londres de las nueve y cuarenta y siete minutos.

El cuarto 410 estaba al lado del cuarto 412, el número que le había tocado a ella.

Durante varios días la señora Mitre comió y cenó en su habitación. Nadie la vio salir. El cuarto 410 permaneció vacío. En la vida del hotel llena de grupos de gentes que entran y salen, de fiestas, de automóviles que se detienen a sus puertas, estos hechos insignificantes pasaron inadvertidos. Sólo Brunier espiaba con atención las entradas y salidas de los clientes, esperando ver reaparecer a la señora de la chalina color durazno, que le había guiñado un ojo y preguntado la hora. Con discreción indagó entre las doncellas y los camareros.

—¿Qué? ¿La sudamericana? Está tocada. Se arregla, se sienta en un sillón y pregunta: "¿Qué hora es?"

Marie Claire, después de imitar la voz y los ademanes de la extranjera, se echó a reír.

—¡Qué manía! A mí también no hace sino preguntarme la hora —dijo Albert, el camarero que le llevaba los desayunos.

—Algo le pasa —comentó Brunier pensativo.

—Está esperando a su amante... —exclamó Marie Claire soltando una carcajada rencorosa.

Brunier escuchó las confidencias y siguió cuidando la gran puerta de entrada. Pasaron dos meses. De la gerencia del hotel le preguntaron a la señora Mitre si pensaba seguir guardando la habitación 410.

—¡Claro! El señor Gabriel Cortina llega hoy en el avión de las nueve y cuarenta y siete —contestó ella con aplomo.

—¡Es una extravagante! —dijeron en la administración.

—Los ricos pueden serlo. ¿Qué le importan esos francos si en su país tiene cien mil caballos y trescientas mil vacas? —replicó *mademoiselle* Ivonne con voz amarga y dejando por unos momentos las cuentas para entrar en la conversación.

—Todos los sudamericanos tienen muy buenas vacas y muy malas maneras. Como carecen de ideas están llenos de manías —dijo el señor Gilbert, asomándose por encima de su cuello duro.

La señora Mitre no tenía tantas vacas y al terminar el tercer mes no tuvo con qué pagar la última cuenta del hotel. El señor Gilbert subió a su habitación. La señora Mitre le abrió la puerta sonriente, lo hizo pasar y le ofreció asiento.

—Señora, lo siento, estoy realmente desconcertado, pero... debe usted mudarse de hotel.

—¿Mudarme? —preguntó la señora asombrada.

El señor Gilbert guardó silencio. Después asintió gravemente con gestos de la cabeza.

—No puedo mudarme. Aquí estoy esperando al señor Gabriel Cortina. Él llega hoy en la noche, en el avión de las nueve cuarenta y siete. ¿Qué diría si no me encontrara? Sería una catástrofe. ¡Una verdadera catástrofe!

El señor Gilbert estaba apenadísimo. La cuenta del hotel no había sido cubierta.

—Según tengo entendido, la señora no tiene dinero para cubrir la cuenta.

—¿Dinero? No, no tengo nada —dijo la señora echando la cabeza para atrás y riendo de buena gana.

—¿Nada? —preguntó el señor Gilbert aterrado.

—¡Nada! Lo que se dice nada —aseguró ella sin dejar de reír.

El señor Gilbert la miró sin entender lo que ella le decía. Realmente era aterradora la confesión de la señora que tenía delante.

—¿Por qué duda usted de su palabra si me dijo que llegaba hoy en el avión de las nueve y cuarenta y siete?…

—No, no lo dudo… —dijo Gilbert desconcertado.

La señora Mitre lo miró un rato con sus ojos color té. Luego pareció nerviosa, se torció las manos y acercó mucho su rostro al del señor Gilbert.

—¿Qué hora es?… —preguntó inquieta.

—Las cuatro y cinco —contestó el hombre casi a pesar suyo.

Las tardes eran ahora muy cortas y por las ventanas entraba el oscurecer gris y frío. El señor Gilbert encendió una lámpara que estaba sobre una consola y su luz rosada iluminó la cara pálida de la señora Mitre. Era duro decirle a aquella mujer sonriente y delicada que debía desalojar el cuarto ahora mismo. La miró con valor.

—¡Señora!…

Ella se volvió hacia él, sonriendo con aquella sonrisa de muchacho de campo y le guiñó un ojo.

—Sí, señor…

—Si pudiera usted, al menos, dejar algo…

—¿Algo? —preguntó ella asombrada y descruzando las piernas.

—Sí, algo de valor —dijo el señor Gilbert impaciente. ¿Por qué le tocaría a él precisamente venir a decirle a la señora Mitre esta estupidez?

Lucía Mitre apoyó los codos sobre las rodillas, sostuvo la cara entre sus manos y lo miró con fijeza como si no entendiera lo que le pedía. Gilbert guardó silencio. No se le ocurría agregar ninguna palabra.

—¡Ah! ¿De valor? —repitió Lucía, como para sí misma. Entrecerró los ojos y volvió a cruzar las piernas. De pronto se llevó las manos a la nuca y con decisión, se quitó el collar de perlas de varios hilos que llevaba puesto.

—¿Esto?

Dijo extendiendo las manos que sostenían las perlas. El señor Gilbert apreció desde lejos sus reflejos tornasoles y pareció tranquilizarse.

—Son muy caras... Cuánto rogué para que me las regalaran. ¿Ya ve? Nadie sabe para quién ruega. Si Ignacio supiera... —agregó como para sí misma.

El señor Gilbert no supo qué contestar. Lucía le tendió el collar con un gesto amplio.

—Ignacio es mi marido —dijo a modo explicativo.

—¿Su marido?... —preguntó Gilbert al mismo tiempo que recogía la alhaja.

—Sí, mi marido...

Madame Mitre se quedó mirando al vacío, como si la palabra marido la hubiera transportado a un mundo hueco.

—Es una historia muy complicada. ¿Verdad que las complicaciones son odiosas, señor...?

—Gilbert —contestó su interlocutor casi mecánicamente.

—Gilbert —completó ella su frase trunca.

Las palabras de Lucía, sonaban irreales con la habitación de luz rosada. Su voz salía con lentitud y parecía que no iba dirigida a nadie. Las frases apenas dichas rodaban frágiles por el aire y caían sin ruido sobre la alfombra. Lucía miró a Gilbert, para que éste no olvidara lo que iba a decirle.

—Ahora comprende usted por qué Gabriel Cortina llega esta noche en el avión de las nueve y cuarenta y siete, ¿verdad?

Gilbert guardó silencio y guardó el collar para examinarlo más tarde con calma.

La voz corrió entre los empleados del hotel: "La señora Mitre entregó un fabuloso collar de perlas, para seguir esperando la llegada de su amante." El rumor llegó a los oídos de Brunier. Habían pasado ya cinco meses desde la tarde en que la señora Lucía le había guiñado un ojo, y Brunier, a pesar de no haberla visto más, no la había olvidado. Esperaba siempre que apareciera la larga chalina flotante y la sonrisa hospitalaria. El cuarto 410 había sido ocupado por un sin fin de viajeros que se dirigían a las montañas de Austria o a los soles de España y Portugal y la señora Mitre permanecía invisible en el cuarto 412 del hotel. Brunier estaba intranquilo. Sabía que más tarde o más temprano, la señora se acabaría las perlas, una por una, y entonces tendría que irse a la calle. Esta idea lo mortificaba.

—Señorita Ivonne, ¿cuántas perlas le quedan todavía a la señora Mitre? —preguntó Brunier, temeroso de la respuesta.

—Veintidós —contestó Ivonne.

—¿Y después?

Después ¡up! —contestó Ivonne haciendo sonar los dedos.

Hay que hablar con ella —dijo Brunier pensativo.

—No lo va a escuchar. Está esperando a su amante, que no va a llegar —dijo Ivonne convencida.

—Lo que hace es una niñería —insistió el señor Brunier.

El domingo por la tarde, el señor Brunier subió al cuarto 412. Se alisó los cabellos antes de llamar. Sentía que iba a cumplir con una misión importante y que no debía fallar en sus gestiones. Lucía Mitre le abrió la puerta. Lo miró sonriente, lo invitó a pasar y le ofreció asiento con su mismo gesto amplio y alegre.

—Realmente, tiene buenas maneras. Sólo que no me escuchó. Lo único que logré, fue convencerla de que se mudara al cuarto 101, pues así tendrá dos días por cada perla. Mañana temprano le bajo las maletas —comentó Brunier más tarde.

—Esta historia empieza a ponerme nervioso —dijo Albert.

—¿Y el tal Gabriel, en dónde está? —preguntó exasperada Marie Claire.

—A lo mejor no existe. A lo mejor ella lo inventó —dijo Mauricio, uno de los elevadoristas.

—Es muy posible. Si no, ya hubiera dado señales de vida —asintió Marie Claire.

Más tarde Ivonne atrapó al señor Brunier en los vestidores. Hasta ella había llegado la hipótesis de Mauricio y quería consultarlo con el viejo portero que parecía tener tanto interés en la extranjera.

—¿Sabes Brunier que nunca ha recibido carta de ningún lado del mundo?

—¿Y ella no pregunta si ha tenido correspondencia? —preguntó Brunier pensativo.

—No, no dice nada. Sólo pregunta la hora. Dice que su reloj va muy despacio —explicó Ivonne con avidez.

—Pero tiene que haber vivido antes en algún lugar. No me diga que se apareció ¡así!, de pronto, en la mitad de París.

Durante muchos días Lucía Mitre vivió en el cuarto 101. Sólo los criados la veían. Comía y cenaba en su habitación y no hablaba con nadie. De pronto el señor Gilbert volvió a visitarla. Otra vez debía pedirle que abandonara el hotel. Pero Lucía buscó sonriente en su alhajero unos aretes de diamantes y se los entregó al visitante.

Brunier subió al cuarto 101. Quería convencer a la señora Mitre de algo muy penoso: que se mudara a un hotel más barato. De esa manera sus diamantes se convertirían en muchos días.

—¿Muchos días?... pero si Gabriel llega hoy en el avión de las nueve y cuarenta y siete minutos. ¿Por qué tienen ustedes tanta prisa?... ¿Nunca han visto a nadie que espere a su amante todo el día?

—Sí... un día —dijo Brunier.

—¿Entonces?... ¿qué hora es? —dijo ella.

—Las doce y media de la mañana —contestó Brunier mirándola con desesperación.

—Bueno, pues dentro de nueve horas y diecisiete minutos llega Gabriel...

Lucía agachó la cabeza, parecía cansada. Se miró las puntas de los pies y se arregló los pliegues de su falda de seda color durazno. Después sonrió levemente al portero; éste, se sintió avergonzado. Nada de lo que él pudiera decirle resultaba válido, porque Lucía Mitre giraba como una mariposa alrededor de un fuego que él no percibía, pero que estaba allí, en la misma habitación, cegándola.

—Claro, señor Brunier, que el tiempo se ha vuelto de piedra... cada minuto que pasa es tan enorme como una roca enorme. Se construyen ciudades nuevas que florecen, decaen y desaparecen, y van pasando las ciudades y los minutos; y el minuto de las nueve y cuarenta y siete llegará cuando hayan pasado estos minutos de piedra con sus enormes ciudades, que están antes del minuto que yo espero. Cuando suene ese instante la ciudad de los pájaros surgirá de este amontonamiento de minutos y rocas...

—Sí, señora —dijo Brunier con respeto.

—Estoy muy cansada... muy cansada... son las piedras —agregó Lucía mirando con sus ojos fatigados al portero. Después, como si hiciera un esfuerzo, le hizo un guiño y sonrió con su sonrisa abierta de muchacho. Brunier quiso devolverle la sonrisa, pero lo invadió una tristeza inexplicable, que lo dejó paralizado.

—De niña, señor Brunier, el tiempo corría como la música en las flautas. Entonces no hacía sino jugar, no esperaba. Si los grandes jugáramos, acabaríamos con las piedras adentro del reloj. En ese tiempo el amor estaba afuera de las tapias de mi casa, esperándome como una gran hoguera, toda de oro, y cuando mi padre abrió el portón y me dijo: "¡Sal, Lucía!", corrí hacia las llamas: mi vocación era ser salamandra...

Brunier supo que la señora Lucía estaba hechizada. ¿Pero, por quién o por qué?

—¿Y usted, señor Brunier, cuántas salamandras tuvo? —preguntó Lucía con interés, como si de pronto recordara que debía hablar más de su interlocutor y menos de ella misma.

—Dos, pero ellas son verdaderas salamandras, no se quemaron en el fuego —contestó Brunier.

Después de la visita del portero, la señora se quedó aún más quieta. Nunca tocaba el timbre ni pedía nada. Acabaron por mandarle las bandejas casi vacías. El señor Gilbert la visitaba de cuando en cuando y se llevaba una por una sus alhajas. Le preocupaba aquella presencia constante en el cuarto más barato del hotel. La primavera pasó con sus racimos de nieve y cubriendo a los castaños; se deshojó el verano en un otoño amarillo, volvió el invierno con sus teteras humeantes, y Lucía Mitre siguió preguntando la hora, encerrada en su cuarto. El señor Gilbert la tenía muy presente.

—Señora, ¿no sería conveniente que le escribiera usted a su marido?

—¿A mi marido?... ¿Para qué?

—Para que haga algo por la señora... para que la recoja. Un señor mexicano es, donde quiera, siempre un caballero.

—¡Ah! Sí, él es el mejor de los hombres. Siempre le viviré agradecida, señor Gilbert. Si usted supiera... vivimos casados ocho años... Nunca olvidaré las noches que pasé en la habitación inmensa de su casa. Mi suegra me oía llorar y venía envuelta en un kimono japonés...

La señora Mitre guardó silencio, como si oyera venir los pasos de aquella mujer a la que por primera vez nombraba. El señor Gilbert miró hacia la puerta, tuvo la impresión de que alguien envuelto en un traje oriental entraba sin ruido en la habitación. La señora Mitre se tapó la cara con las manos y empezó a sollozar. Gilbert se puso de pie.

—¡Señora! Por favor...

—El cuarto era enorme, estaba lleno de espejos y yo me sentía muy sola. Eso enojaba a mi suegra... ¿Le parece muy mal, señor Gilbert?

—No, no, me parece natural —contestó Gilbert ruborizándose.

—A Ignacio lo veía en el comedor. El día que me escribió la carta me extrañó mucho, porque podía habérmelo dicho en la comida. Luego vi que esa era la mejor manera de decirme algo tan delicado. ¿Quiere usted leerla?

Gilbert no supo qué decir. La señora Mitre se levantó con presteza y buscó adentro de su maleta un pequeño cofre de madera muy olorosa. Al abrirla respiró con deleite el perfume y exclamó:

—¡Es de Olinalá!

Luego encontró una carta escrita tiempo antes y leída muchas veces, y la entregó a Gilbert con aquel gesto suyo, amplio y sonriente, que tomaba siempre que tenía que dar algo, ya fueran sus perlas, sus brillantes o su carta.

—¡Léala, por favor!

El señor Gilbert recorrió la carta con los ojos sin entender nada. La carta estaba escrita en español, sólo alcanzó a descifrar la firma: "Ignacio". Movió la cabeza, como si entendiera el contenido de aquella carta, la dobló con cuidado y quiso guardarla como las perlas, para que alguien se la tradujera más tarde. Pero Lucía Mitre tendió la mano y a él no le quedó más remedio que entregarla.

—¿Ve usted? —dijo ella con simplicidad. Luego se puso de pie, alcanzó una cerilla y le prendió fuego al papel. Gilbert no pudo impedir su gesto y la carta se retorció en las llamas, hasta convertirse en una telita negra que cayó hecha añicos.

—¿Ahora ya no sirve, verdad? —preguntó asombrada.

—No, ya no sirve —comentó Gilbert descorazonado. Estaba seguro de que esa carta quemada contenía el secreto de Lucía Mitre.

—¿Qué hora es? ¿Cuánto tiempo falta para las nueve y cuarenta y siete?

—Cuatro horas y veintitrés minutos —dijo el señor Gilbert con voz melancólica.

—¡Cuatro horas!...

—Mientras dan las nueve ¿por qué no sale usted a dar un paseo por París? Si viera qué hermosos están los muelles, llenos de libros, de paseantes...

—¿Una vuelta?... No, no puedo. Me voy a arreglar un poco... estoy tan nerviosa —dijo tocándose la cara con angustia.

El señor Gilbert vio sus mejillas hundidas y sus manos delgadas y temblorosas.

—Es usted muy bella, señora Mitre —dijo convencido de que la tragedia embellece a sus personajes. La luz que rodeaba a la mujer que tenía sentada frente a él, era una luz que se alimentaba de ella misma. Toda ella ardía adentro de unas llamas invisibles y luminosas. Tuvo la impresión de que pronto no la vería más. Admiró los huesos calcinados de sus pómulos y de sus dedos translúcidos. ¿Cuándo, y cómo, y por qué, había entrado en aquella hermosa dimensión suicida? Se sintió grosero junto a la dama vestida de color durazno que se transmutaba cada día más en una materia incandescente que a él le estaba vedada.

—Después de esa carta ya no podía quedarme en la casa de Ignacio... Recuerdo que la noche de la cena, la seda de las paredes del comedor ardía en llamas pequeñísimas, y que las flores de la mesa olían con la frescura que sólo se encuentra en los jardines. Cuando vi las manos de Ignacio y de Emilia acariciándose sobre el mantel, me parecieron las manos desconocidas de personajes desconocidos. En ese momento me fui a vivir a otro palacio, aunque aparentemente seguí durmiendo en el cuarto de la casa de Ignacio. Por las noches después de la visita de mi suegra entraba Gabriel... ¿Usted conoce México? Pues Gabriel es como México, lleno de montañas y de valles inmensos... Siempre hay sol y los árboles no cambian de hojas sino de verdes...

La señora Mitre se quedó buscando aquellos soles brillando sobre las copas de los árboles de su país. Gilbert la dejó acompañada de sus fantasmas. "Su marido y su amante la engañaron", se dijo, mientras llegaba a su despacho y se sintió responsable de la suerte de aquella mujer. Durante los dos meses que todavía vivió en el Hotel, el señor Gilbert se negaba a comentarla.

—¡Por favor! No me hablen de la señora Mitre... Me da escalofríos.

Ahora Lucía Mitre estaba cubierta con su chalina de gasa color durazno. Una ira antigua y caballeresca se apoderó de Brunier; "¡pobre pequeña!", se dijo pensando en Gabriel. "¡Pobre pequeña!" se repitió recordando a Ignacio. Debía advertir a Gilbert de lo que acababa de ocurrir en el cuarto 101.

Los divanes y las sillas de época cubiertas de sedas de color pastel, los espejos, los ramos de flores silvestres y las alfombras color miel, le dieron la sensación de entrar al centro tibio del oro. Contempló a las parejas reflejadas en las luces de los espejos, deslizándose frágiles por caminos invisibles y perfumados, en busca de amores que quizás apenas durarían unas horas. Parecían hermosos tigres olfateando intrincados vericuetos y tuvo la impresión de que alguno de aquellos personajes fugaces, se quedarían tal como Lucía, prendidos a un minuto irrecuperable.

Brunier se acercó a Gilbert, que de pie, muy sonrosado y vestido con su impecable jacquet, sonreía a una de aquellas parejas elegidas. Esperó unos minutos.

—La señora Lucía acaba de morir —anunció sin dejar translucir su emoción.

—¿Qué dice? —preguntó Gilbert adoptando el rostro más inexpresivo que encontró.

—Que la señora Lucía Mitre acaba de morir —repitió Brunier sin cambiar la actitud.

—¡Qué desdicha! —exclamó el señor Gilbert en voz baja. Luego atendió sonriente a una cliente que le preguntaba por el bar.

—Voy a llamar a la policía. Hay que evitar que los clientes se den cuenta de lo sucedido.

—Murió exactamente a las nueve y cuarenta y siete minutos —explicó Brunier con una voz que quiso ser natural.

Gilbert iba a decir algo, pero la llegada de un cliente lo distrajo. El cliente era joven, llevaba una raqueta en la mano y su rostro era asoleado y sonriente. Con voz juguetona, explicó que desde hacía once meses, una amiga suya le había reservado el cuarto 410. No sabía si la reservación se había hecho a nombre de su amiga: Lucía Mitre o al suyo: Gabriel Cortina.

—Pero es lo mismo —explicó sonriente.

Gilbert asombrado, no supo qué decir, buscó en los ficheros y vio que el cuarto 410 estaba vacío. Cogió la llave y se la tendió al joven que distraído daba golpecitos en el escritorio, con el filo de su raqueta.

Gilbert y Brunier, mudos por la sorpresa, vieron como se alejaba Gabriel Cortina rumbo a los elevadores. Iba jugando con la llave, ajeno a su desdicha. Sus pantalones de franela y su saco sport le daban una elegancia infantil y americana. Los dos hombres se miraron consternados. Deliberaron unos momentos y decidieron que cuando llegara la policía explicarían lo sucedido al recién llegado.

—¡Es una catástrofe!

—¡Una verdadera catástrofe!

A las diez y media de la noche tres hombres correctamente vestidos cruzaron el vestíbulo del Hotel acompañados de Brunier y de Gilbert. Los cinco hombres subieron primero al cuarto 410, para decirle a Gabriel Cortina lo sucedido. Llamaron a la puerta con suavidad. Al ver que nadie contestaba a sus repetidas llamadas decidieron abrir con la llave maestra. Encontraron el cuarto vacío e intacto. Brunier y Gilbert se miraron atónitos, pero recordaron que el cliente no llevaba más equipaje que su raqueta. Buscaron la raqueta sin hallarla. Entonces llamaron a los criados, pero ninguno de ellos había visto al joven que buscaban. Los tres policías revisaron el baño y los armarios. Todo estaba en orden: nadie había entrado en aquella habitación. Perplejos, los cinco hombres bajaron a la Administración; tampoco allí, ninguno de los empleados, ni siquiera Ivonne, recordaba la llegada de aquel huésped. La llave del cuarto 410 estaba colgada en el fichero, intocada. Gilbert y Brunier discutieron acalorados con el personal de la Administración la presencia de Gabriel Cortina en el Hotel. Los policías ordenaron pesquisas que resultaron inútiles, pues el joven risueño, propietario de la raqueta, no apareció en ninguna parte del hotel. Había desaparecido sin dejar huella. Después de muchas discusiones adoptaron la hipótesis de que habían sido víctimas de una alucinación.

—Fue el deseo de que llegara —aceptó vencido y melancólico el señor Gilbert.

—Sí, eso debe haber sucedido, los dos la amábamos —confesó Brunier.

Los tres policías se enternecieron con lo sucedido. Uno de ellos era de la Bretaña y contó que en su país sucedían cosas semejantes.

Sombríos, los cinco hombres se dirigieron al cuarto de Lucía Mitre para terminar con su triste diligencia. Al entrar en la habitación los policías se quitaron los sombreros y se inclinaron respetuosos ante el cuerpo de la señora.

Brunier, solemne, señaló a los pies de la cama.

—¡Ahí está! —dijo casi sin voz.

Sus cuatro acompañantes vieron la raqueta blanca depositada con descuido a los pies de la cama de Lucía Mitre. Se lanzaron nuevamente a la búsqueda del joven propietario de la raqueta, pero su búsqueda fue infructuosa, pues el cliente risueño, tostado por el sol de América, no volvió a aparecer nunca más en el Hotel del Príncipe.

Gilbert se inclinó por última vez sobre el rostro de Lucía Mitre, también ella se había ido para siempre del Hotel, pues en su rostro no quedaba de ella, nada.

La cómplice
Guadalupe Amor

Lo he ocultado años y años. Nadie puede sospechar ni remotamente de mí. Me vieron llorarlas, y como siempre las he recordado con entrañable ternura, no ha habido quien pueda maliciar nada malo en mi conducta. Hoy, después de siete años que se fue la última, tengo que confesarlo en este papel. ¡Buen cuidado tendré de que nadie lo lea!

Sí, en menos de año y medio, Eugenia, Virgilia y Rosario... Eugenia estaba desesperada: tenía meses y meses luchando por restañar las heridas adultas que le había legado su último amor. Su belleza de china desolada se iba alejando de ella, y ya era una pajarita pálida y circundada de ojeras. Lo que más le dolía no era el saberse desdeñada por su amante, era el mentir que por haberlo buscado cada vez que la soledad y la nostalgia la carcomían, su decoro iba rebotando como una piedra que cae sin fin en el vacío.

La mayoría de sus amistades, mejor dicho de sus íntimas enemistades, que siempre envidiaron sus atractivos y su finura legendaria, la fueron abandonando al ritmo de sus fuerzas.

Algunas la siguieron visitando, felices de compadecerla ignominiosamente...

Sin asidero en qué apoyarse, Eugenia envejecía antes de tiempo, y lloraba y lloraba sin encontrar el horizonte.

Sólo contaba conmigo, y fue más rotunda su congoja que mi posibilidad de ayudarla.

Por eso...

Virgilia había llegado a la frontera del pesimismo.

Su nacarada piel de siempre amaneció un día inexplicablemente manchada. Dos mapas como pieles de leopardo aparecieron en sus mejillas. Alarmada, visitó médicos y consejeras de belleza. Inútil. Las manchas desaparecían solamente para cambiar levemente de sitio.

Virgilia, coqueta definitiva, se envolvió en mascadas, paredes y soledad. Violentando sus economías, pudo recurrir a especialistas extranjeros. Todos la reconocieron, pero su piel día a día se jaspeaba de jungla. Ella también me lo explicó todo...

Rosario no vivía: moría desde que supo que su novio era casado. Inútil fue cuanto hizo por querer a otros pretendientes. Todos le parecían adocenados e insulsos. Prefirió permanecer virgen y la vida la fue cincelando en amargura. Quiso interesarse en estudios filosóficos, pero por mucho que los altos temas la embriagaran, el peso de su soltería y de sus nostalgias la fue debilitando hasta el punto que ya no deseaba ver ni a la gente ni a la luz ni a los árboles. Abandonó los estudios y tomó como sola profesión el desaliento. De vez en cuando reaccionaba para caer más profundamente en su laberinto de desconsuelos. Por fin, un día se decidió, y ante su lógica aplastante, yo la ayudé como a Eugenia y a Virgilia.

Las tres murieron. Me dolía verlas padecer; que Eugenia buscara en vano a su amante, que Virgilia no se desmanchara nunca y que Rosario naufragara en soledad. Yo no podía hacer otra cosa. Mi amistad, aunque íntegra, era demasiado tenue junto a sus padecimientos.

El paso más duro lo di con Eugenia. Mucho medité para llevarle el remedio. Todavía antes de tomarlo, agradecida, llamó por teléfono para despedirse de mí.

Con Virgilia ya no tuve tantos titubeos. Aún recuerdo sus grandes ojos cercados de manchas cuando, abrazándola, le dejé el frasco inexorable.

Con Rosario procedí sintiendo que ejecutaba una fría obligación. Su agradecimiento opaco me quitó todo remordimiento. Sabía que al entregarle su muerte pronto iba a dejar muy atrás su amargura.

Hoy han pasado siete años desde que ayudé a la última de mis amigas.

Con mi prestigio y discreción ¿quién puede sospechar nada? Sólo este papel conoce mi mortuoria ternura; y para que ni aquí quede la constancia de esa ilimitada comprensión, ahora mismo romperé estas páginas en las que he contado el fin de Eugenia, Virgilia y Rosario, que afortunadamente han dejado ya de sufrir.

Conversación de Navidad
Guadalupe Dueñas

—Ring... ring... ring...

—Bueno, ¿quién habla? ¡Ah!, ¿eres tú?

—...?

—No sabes. ¡Un horror!

—...?

—Claro, con la familia. Esa noche no hay quien se salve... ¿Estás solo?... ¿Puedo platicarte, mi vida?

—...

—¡Qué Navidad! ¡Vaya nochecita! ¿Te imaginas?: todas mis hermanas con maridos de diferente tipo y nacionalidad; pero, uniformemente, de mal humor.

—...?

—¡No! Es que nos hemos sugestionado contándonos la historia de que somos muy unidas, y con esta fantasía nos hacemos pedazos, queremos seguir una tradición imaginaria de tardes familiares pasadas al amor de la lumbre, cuando, en verdad, descendemos de gitanos nómadas a quienes enferma saber dónde y cómo van a pasar la noche; pero ninguna se atreve a destruir el engaño, porque están los maridos... Ellos fingen que lo creen y nos enredamos con el ideal más imposible del mundo.

—...

—Déjame que te explique: Un mes antes de la fecha comenzamos a planear la noche trágica.

Nuestro natural belicoso nos dificulta bastante el arreglo de la cena. Se grita, se maldice, se rechazan por sistema todas las sugestiones. Un desastre. Resulta —por ejemplo— que a nadie en casa le gusta el bacalao, pero tratándose de la Navidad, aunque nos dé escorbuto, no puede eliminarse. En cuanto al pavo —da pena decirlo—, no lo soportan ni en mole, pero es el platillo tradicional, y ¡una cena sin pavo!, ¿dónde? El relleno se lleva cien pesos. Castañas y oro molido. Por supuesto quedaría perfecto con migajón y papel crepé —para tirarlo, que es lo que sucede—, resultaría lo mismo y se perdería menos. Mi hermana "la rica" opina que de ninguna manera, y se rellena con los más costosos ingredientes que juntos y mezclados saben a grillo.

"Vinos espléndidos. Sin presumir, hasta Viuda de Cliquot. Por último, el pastel alemán que tomaba el Káiser —una receta formidable que a nosotras siempre se nos quema. Maravilloso, ¿no? Pues en casa un fracaso completo"

—...?

—¡Hombre!, la reunión tiene lugar en el *hall* de "los ricos", alegre y calentito (por lo menos en Navidad). El clásico árbol luce lleno de regalos, tal como nos ordenaron los gringos que debía ser. Pero cada pareja llega lo más tarde posible, en un verdadero maratón de impuntualidad. Los últimos, para que nadie se atreva a reclamarles, estrenan una cara de metro y medio. Cada uno, por supuesto, trae sus regalos envueltos en inocentes listones multicolores que descarga furioso junto al árbol sin culpa, como pedradas sobre la adúltera. Nadie hace comentarios. Todos nos esforzamos por no romper con alguna imprudencia que dé al traste con la forzada paz que vibra sobre púas. Los que llegaron primero, como ya se aprendieron el estucado del techo, y tienen un hambre furibunda, se dedican a quebrarle la cola a los pajaritos de canutillo ensartados en las ramas de pino. Mi hermana soporta las mutilaciones con tolerancia ejemplar. Cuando mi gracioso hermano llega, pasamos al comedor. Se sientan todos a la mesa con una incomprensible rabia de culebra. Mientras sirven el consomé, unos piensan en lo bueno que hubiera sido acostarse a las ocho; otros, quizá, preferirían haberse ido a otra parte. El malestar nos contagia y ése sí es tradicional en esta cena. Empieza la catástrofe: tres de mis hermanas, las que siempre están "de encargo", desbordan su electricidad sobre sus maridos que esa noche no soportan nada. Ellos se empeñan en sentarse junto a mí, con la esperanza de que yo, al menos, haga "tierra". El ambiente es imposible, pero como hemos jurado que la Nochebuena no podemos estar separados...

—...

—Lo peor es cuando el pescado hace su aparición. El gesto de desagrado es general. Alguien hace un pésimo chiste. Pide "Mum" para quitarle el mal olor. Luego, por quién sabe qué desdicha, el pavo no se doblega bajo el filo de cuchillo alguno. Permanece intocable guardando el misterioso relleno como una caja fuerte. Y cuando mi hermano dice que es una reunión de momias y que prefiere irse a la cena de las "señoritas X", los maridos montan en cólera y se aprestan a decir cosas desagradables.

—¿...?

—¡Sí beben!, pero no se alegran y como en realidad no cenan, un cuñado pide caldo de frijoles; otro, arroz del mediodía. La chamaca descubre un pollito cocido. Lo devoran entre todos y, cínicos, confiesan que esa vianda sí les gusta. La moral mejora y nos apresuramos a repartir los regalos. Con todo, apenas suena la una y media. Yo inventé que estaba muy cansada y desaparecí. Fui derecho al refrigerador a merendar decentemente una chilindrina y mi vaso de leche. Tomé posesión de mi cama, feliz, esperando que el próximo año no haya aquelarre familiar. Cualquier otro día podemos reunirnos con éxito, pero esa noche no, está visto. Mi preocupación es que ninguno va a proponerlo: "somos tan unidas y nos queremos tanto..."

—...

—¿Con tu mujer y las novias de tus hijos...? ¡ja, ja, ja...!

—¡...?

—¿Cómo dices?... Bueno, bueno... ¡Ah! ¡Ya llegó la arpía! Entendido: dime aprisa en dónde nos vemos. ¿Sí? Entonces pasas por mí a las seis, ¿eh? ¡Adiós, mi amor...!

Domingo
Rosario Castellanos

Edith lanzó en torno suyo una mirada crítica, es-
crutadora. En vano se mantuvo al acecho de la aparición de esa mota de polvo que se esconde siempre
a los ojos de la más suspicaz ama de casa y se hace
evidente en cuanto llega la primera visita. Nada.
La alfombra impecable, los muebles en su sitio, el
piano abierto y encima de él, dispuestos en un cuidadoso desorden, los papeles pautados con los que
su marido trabajaba. Quizá el cuadro, colocado
encima de la chimenea, no guardaba un equilibrio
perfecto. Edith se acercó a él, lo movió un poco
hacia la izquierda, hacia la derecha y se retiró para
contemplar los resultados. Casi imperceptibles pero
suficientes para dejar satisfechos sus escrúpulos.

Ya sin los prejuicios domésticos, Edith se detuvo a mirar la figura. Era ella, sí, cifrada en esas
masas de volúmenes y colores, densos y cálidos. Ella,
más allá de las apariencias obvias que ofrecía al consumo del público. Expuesta en su intimidad más
honda, en su ser más verdadero, tal como la había
conocido, tal como la había amado Rafael. ¿Dónde
estaría ahora? Le gustaba vagabundear y de pronto
enviaba una tarjeta desde el Japón como otra desde
Guanajuato. Sus viajes parecían no tener ni preferencias ni propósitos. Huye de mí, pensó Edith al
principio. Después se dio cuenta de la desmesura
de su afirmación. Huye de mí y de las otras, aña-

dió. Tampoco era cierto. Huía también de sus deudas, de sus compromisos con las galerías, de su trabajo, de sí mismo, de un México irrespirable.

Edith lo recordó sin nostalgia ya y sin rabia, tratando de ubicarlo en algún punto del planeta. Imposible. ¿Por qué no ceder, más que a esa curiosidad inútil, a la gratitud? Después de todo a Rafael le debía el descubrimiento de su propio cuerpo, sepultado bajo largos años de rutina conyugal, y la revelación de esa otra forma de existencia que era la pintura. De espectadora apasionada pasó a modelo complaciente y, en los últimos meses de su relación, a aprendiz aplicada. Había acabado por improvisar un pequeño estudio en el fondo del jardín.

Todos los días de la semana —después de haber despachado a los niños a la escuela y a su marido al trabajo; después de deliberar con la cocinera acerca del menú y de impartir órdenes (siempre las mismas) a la otra criada— Edith se ponía cómoda dentro de un par de pantalones de pana y un suéter viejo y se encerraba en esa habitación luminosa, buscando más allá de la tela tensada en el caballete, más allá de ese tejido que era como un obstáculo, esa sensación de felicidad y de plenitud que había conocido algunas veces: al final de un parto laborioso; tendida a la sombra, frente al mar; saboreando pequeños trozos de queso camembert untados sobre pan moreno y áspero; cuidando los brotes de los crisantemos amarillos que alguien le regaló en unas navidades; pasando la mano sobre la superficie pulida de la madera; sí, haciendo el amor con Rafael y, antes, muy al principio del matrimonio, con su marido.

Edith llenaba las telas con esos borbotones repentinos de tristeza, de despojamiento, de desnudez interior. Con esa rabia con la que olfateaba a su alrededor cuando quería reconocer la querencia perdida. No sabía si la hallaba o no porque el cansancio del esfuerzo era, a la postre, más poderoso que todos los otros sentimientos. Y se retiraba a mediodía, con los hombros caídos como para ocultar mejor, tras la fatiga, su secreta sensación de triunfo y de saqueo.

Los domingos, como hoy, tenía que renunciar a sí misma en aras de la vida familiar.

Se levantaban tarde y Carlos iba pasándole las secciones del periódico que ya había leído, con algún comentario, cuando quería llamarle la atención sobre los temas que les interesaban: anuncios o críticas de conciertos, de exposiciones, de estrenos teatrales y cinematográficos; chismes relacionados con sus amigos comunes; gangas de objetos que jamás se habían propuesto adquirir.

Edith atendía dócilmente (era un viejo hábito que la había ayudado mucho en la convivencia) y luego iba a lo suyo: la sección de crímenes, en las que se solazaba, mientras afuera los niños peleaban, a gritos, por la primacía del uso del baño, por la prioridad en la mesa y por llegar antes a los sitios privilegiados del jardín.

Cuando la algarabía alcanzaba extremos inusitados Edith —o Carlos— lanzaban un grito estentóreo e indiferenciado para aplacar la vitalidad de sus cachorros. Y aprovechaban el breve silencio conseguido, sonriéndose mutuamente, con esa complicidad que los padres orgullosos de sus hijos y de las travesuras de sus hijos se reservan para la intimidad.

De todos los gestos que Edith y Carlos se dedicaban, éste era el único que conservaba su frescura, su espontaneidad, su necesidad. Los otros se habían estereotipado y por eso mismo resultaban perfectos.

—Hoy viene a comer Jorge.

Edith lo había previsto y asintió, pensando ya en algo que satisficiera lo mismo sus gustos exigentes que su digestión vacilante.

—¿Solo?

—El asunto con Luis no se arregló. Siguen separados.

—¡Lástima! Era una pareja tan agradable.

Antes también Edith hubiera hecho lo mismo que Luis y Jorge: separarse, irse. Ahora, más vieja (no, más vieja no, más madura, más reposada, más sabia) optaba por soluciones conciliadoras que dejaran a salvo lo que dos seres construyen juntos: la casa, la situación social, la amistad.

—¿Y si me habla Luis, diciéndome, con ese tonito de desconsuelo que es su especialidad, que no tiene con quién pasar el domingo?

—Déjalo que venga, que se encuentre con Jorge. Tarde o temprano tendrá que sucederles. Más vale que sea aquí.

Se encontraba uno en todas partes, donde no era posible retorcerse de dolor ni darle al otro una bofetada para volverle los sesos a su lugar, ni arrodillarse suplicante. Entonces ¿qué sentido tenía irse? Aunque se quiere no se puede. Edith tuvo que reconocer que no todo el mundo estaba atado por vínculos tan sólidos como Carlos y ella. Los hijos, las propiedades en común, hasta la manera especial de tomar una taza de chocolate antes de dormir. Realmente sería muy difícil, sería imposible romper.

Desde hacía rato, y sin fijarse, Edith estaba mirando tercamente a Carlos. Él se volvió sobresaltado.

—¿Qué te pasa?

Edith parpadeó como para borrar su mirada de antes y sonrió con ese mismo juego de músculos que los demás traducían como tímida disculpa y que gustaba tanto a su marido en los primeros tiempos de la luna de miel. Carlos se sintió inmediatamente tranquilizado.

—Pensaba si no nos caería bien comer pato a la naranja... y también en la fragilidad de los sentimientos humanos.

¿No estuvo Edith a punto de morir la primera vez que supo que Carlos la engañaba? ¿No creyó que jamás se consolaría de la ausencia de Rafael? Y era la misma Edith que ahora disfrutaba plácidamente de su mañana perezosa y se disponía a organizar un domingo pródigo en acontecimientos emocionantes, en sorpresas que se agotaban en un sorbo, en leves cosquilleos a su vanidad de mujer, de anfitriona, de artista incipiente.

Porque a partir de las cuatro de la tarde sus amigos sabían que había open house y acudían a ella arrastrando la cruda de la noche anterior o el despellejamiento del baño del sol matutino o la murria de no haber sabido cómo entretener sus últimas horas. Cada uno llevaba una botella de algo y muchos una compañía que iba a permitir a la dueña de casa trazar el itinerario sentimental de sus huéspedes. Esa compañía era el elemento variable que Edith aguardaba con expectación. Porque, a veces, eran verdaderos hallazgos como aquella modelo francesa despampanante que ostentó fugazmente Hugo Jiménez y que lo abandonó para irse con Vicente Weston, cuando supo que el primero era únicamente un aspirante a productor de películas. La segunda alianza no fue más duradera porque Vicente era el hijo de un productor de películas en ejercicio pero no guardaba con el cine comercial ni siquiera la relación de espectador.

¿Qué pasaría con esa muchacha? ¿Regresaría a su país? ¿Encontraría un empresario auténtico? Merecía buena suerte. Pobrecita ingenua. Y los mexicanos son tan desgraciados...

Edith tarareaba una frase musical en el momento de abrir la regadera. Dejó que el agua resbalara por su cuerpo, escurriera de su pelo pegándole mechones gruesos a la cara. Ah, qué placer estar viva, viva, viva.

Y, por el momento, vacante, apuntó. Pero sin amargura, sin urgencia. Había a su alrededor varios candidatos disponibles. Bastaría una seña de su parte para que el hueco dejado por Rafael se llenara pero Edith se demoraba. La espera acrecienta el placer y en los preliminares se pondría en claro que no se trataba, esta vez, de una gran pasión, sino del olvido de una gran pasión, que había sido Rafael quien, a su turno, consoló el desengaño de la gran pasión que, a su hora, fue Carlos.

Chistoso Carlos. Nadie se explicaba la devoción de su esposa ni la constancia de su secretaria. Su aspecto era insignificante, como de ratón astuto. Pero en la cama se comportaba mejor que muchos y era un buen compañero y un amigo leal. ¿A quién, sino a él, se le hubiera ocurrido a Edith recurrir en los momentos de apuro? Pero Edith confiaba en su prudencia para que esos momentos de apuro (¡Rafael en la cárcel, Dios mío!) no volvieran a presentarse.

Carlos entró en el baño cuando ella comenzaba a secarse el pelo. Se lo dejaría suelto hoy, lacio. Para que todos pensaran en su desnudez bajo el agua.

—¿Qué te parece la nueva esposa de Octavio? —preguntó Carlos mientras se rasuraba.

—Una mártir cristiana. Cada vez que entra en el salón es como si entrara al circo para ser devorada por las fieras.

—Si todos la juzgan como tú no anda muy descaminada.

Edith sonrió.

—Yo no la quiero mal. Pero es fea y celosa. La combinación perfecta para hacerle la vida imposible a cualquiera.

—¿Octavio ya se ha quejado contigo de que no lo comprende?

—¿Para qué tendría que hacerlo?

—Para empezar —repuso Carlos palmeándole cariñosamente las nalgas.

Edith se apartó fingiéndose ofendida.

—A mí Octavio no me interesa.

—Están verdes... Octavio siempre estuvo demasiado ocupado entre una aventura y otra. Pero desde que se casó con esa pobre criatura que no es pieza para ti ni para nadie, está prácticamente disponible.

—No me des ideas...

—No me digas que te las estoy dando. Adoptas una manera peculiar de ver a los hombres cuando planeas algo. Una expresión tan infantil y tan inerme...

—Hace mucho que no veo a nadie así.

—Vas a perder la práctica. Anda, bórrate, que ahora voy a bañarme yo.

Edith escogió un vestido sencillo y como para estar en casa, unas sandalias sin tacón, una mascada. Su aspecto debía ser acogedoramente doméstico aunque no quería malgastarlo desde ahorita, usándolo. Titubeó unos instantes y, por fin, acabó decidiéndose. Nada nuevo es acogedor. Presenta resistencias, exige esfuerzos de acomodamiento. Se vistió y se miró en el espejo. Sí, así estaba bien.

Las visitas comenzaron a afluir interrumpiendo la charla de sobremesa de Carlos y Jorge, que giraba siempre alrededor de lo mismo: anécdotas de infancia y de adolescencia (previas, naturalmente, al descubrimiento de que Jorge era homosexual) que Edith no había compartido pero que, a fuerza de oír relatadas consideraba ya como parte de su propia experiencia. Cuando estaba enervada los interrumpía y pretextaba cualquier cosa para ausentarse. Pero hoy su humor era magnífico y sonreía a los dos amigos como para estimular ese afecto que los había unido a lo largo de tantos años y de tantas vicisitudes.

Jorge era militar y comenzaba a hacer sus trámites de retiro. Carlos era técnico de sonido y, ocasionalmente, compositor. Jorge no tenía ojos más que para los jóvenes reclutas y Carlos se inclinaba, de modo exclusivo, a las muchachas. Sin embargo los dos habían sabido hallar intereses que los acercaran y se frecuentaban con una regularidad que tenía mucho de disciplinario.

Edith recordó, no sin cierta vergüenza, los esfuerzos que hizo de recién casada para separarlos.

No es que estuviera celosa de Jorge; es que quería a Carlos como una propiedad exclusiva suya. ¡Qué tonta, qué egoísta, qué joven había sido! Ahora su técnica había cambiado acaso porque sus impulsos posesivos habían disminuido. Le soltaba la rienda al marido para que se alejara cuanto quisiera; abría el círculo familiar para dar entrada a cuantos Carlos solicitara. Hasta a Lucrecia, que se presentó como un devaneo sin importancia y fue quedándose, quedándose como un complemento indispensable en la vida de la familia.

Edith no advirtió la gravedad de los hechos sino cuando ya estaban consumados. De tal modo su ritmo fue lento, su penetración fue suave. Después ella misma se distrajo con Rafael y cuando ambos terminaron quedó tan destrozada que no se opuso a los mimos de Lucrecia, a su presencia en la casa, a su atención dedicada a los niños, a su acompañamiento en las reuniones, en los paseos.

Llegó hasta el grado de convertirla en su confidente (lo hubiera hecho con cualquiera, tan necesitada estaba de desahogarse) y de pronto ambas se descubrieron como amigas íntimas sin haber luchado nunca como rivales.

Edith se adelantó al salón para dar la bienvenida a los que llegaban. Era nada más uno pero exigía atención como por diez: Vicente, a quien le alcanzó la fuerza para ofrendarle una botella de whisky, y luego se dejó caer en un sillón exhibiendo el abatimiento más total.

—¿Problemas? —preguntó Edith más atenta a la marca del licor que al estado de ánimo del donante.

—Renée.

—Últimamente siempre es Renée. ¿Por qué no la trajiste?

—No quiere verme, se niega a hablar conmigo hasta por teléfono. Me odia.

—Algo has de haberle hecho.

—Un hijo.

—¿Tuyo?

—Eso dice. El caso es que yo le ofrecí matrimonio y no lo aceptó. Quiere abortar. ¡Pues que aborte!

—Ése es su problema, Vicente. Pero ¿cuál es el tuyo?

—El mío... el mío... Carajo ¡estoy harto de putas!

—Ahora tienes una oportunidad magnífica para deshacerte de una de ellas.

—Vendrá otra después y será peor.

—Es lo mismo que yo pienso cuando voy a echar a una criada, pero ¿por qué hay que ser tan fatalista? Si lo que te interesa es una virgencita que viva entre flores, búscala.

—La encuentro y es una hipócrita, aburrida, chupasangre. ¿Sabes que este mundo es una mierda?

—No tanto, no tanto —discrepó Edith mientras descorchaba la botella—. ¿Cómo lo quieres? ¿Solo? ¿Con agua? ¿En las rocas?

Vicente hizo un gesto de indiferencia y Edith le sirvió a su gusto.

—Bebe.

Vicente obedeció. Sin respirar vació la copa. El áspero sabor le raspó la garganta.

—Renée también quiere ser actriz —le dijo mientras acercaba de nuevo su vaso a la disposición de Edith.

—¡Qué epidemia!

—Basta con no tener talento. Y se encabrita porque un hijo —mío o de quien sea— se interpone ahora entre el triunfo y ella.

—¿Tú quieres a ese niño?

—A mí también me fastidia que me hagan padre de una criatura. Pero me fastidia más que se deshaga de la criatura si soy el padre.

—Trabalenguas, no ¿eh? Todavía es muy temprano y nadie ha tomado lo suficiente.

—Son ejercicios de lenguaje. Un escritor debe mantenerse en forma. Porque, aunque tú no lo creas, un día voy a escribir una novela tan importante como el *Ulises* de Joyce.

—Si antes no filmas una película tan importante como *El acorazado Potemkin*.

Era Carlos que entraba, seguido de Jorge.

—El cine es la forma de expresión propia de nuestra época.

—¡Y me lo dices a mí que ilustro sonoramente las obras maestras de la industria fílmica nacional! ¿Qué sería de ella sin mis efectos de sonido?

—Ay, sí. Bien que te duele no poder dedicarte a lo que te importa: la música.

—La uso también. Y en vez de llevarme a la cárcel por plagio cada vez que lo hago, me premian con algún ídolo azteca de nombre impronunciable.

—¿A qué atribuyes ese contrasentido?

—A que en la cárcel quizá podría componer lo que yo quiero, lo que yo puedo. Pero me dejan suelto y me aplauden. Me castran, hermanito.

—El hambre es cabrona.

—¿Cómo averiguaste eso, junior?

—Mi padre me cuenta, día a día, la historia de su juventud. Es conmovedora. Nada menos que un self-made man.

—Que me contrata y me paga espléndidamente. Vamos a brindar todos porque viva muchos años.

Carlos alzó su vaso. Jorge lo observaba, sonriente.

—Salud es lo que me falta para acompañarte. Aunque tengo que convenir en que el producto que ingieres es de una calidad superior.

—Un hijo de mi padre tiene que convidar whisky... aunque para hacerlo saquee las bodegas familiares. Porque, has de saber, Orfeo, que mis mensualidades son menos espléndidas que tus honorarios. Y que el Mecenas ha amenazado con alzarme la canasta si no hago una demostración pública y satisfactoria de mis habilidades.

—¡Son tantas!

—Allí está el problema. Elegir primero y luego realizarse.

—La vocación es la incapacidad total de hacer cualquier otra cosa.

—Mírame a mí: si yo no hubiera sido militar ¿qué habría sido?

—Civil.

Carlos y Jorge consideraron un momento esta posibilidad y luego soltaron, simultáneamente, la risa.

—No les hagas caso —terció Edith—. Siempre juegan así.

—Pues ya están grandecitos. Podrían inventar juegos más ingeniosos.

—¡No me tientes, Satanás!

Jorge dio las espaldas a todos con un gesto pudibundo.

—¿No viene nadie más hoy? —quiso saber Vicente.

Edith se alzó de hombros.

Los de costumbre. Si es que no tuvieron ningún contratiempo.

—Es decir, Hugo con el apéndice correspondiente.

—¡Esperemos en Dios que sea extranjera!

—Nadie es extranjero. Algunos lo pretenden pero a la hora de la hora sacan a relucir su medallita con la Virgen de Guadalupe.

—Para evitar engaños lo primero que hay que explorar es el pecho.

—En el caso de las mujeres. ¿Y en el otro?

—Ay, tú, los medallones no se incrustan dondequiera.

—¡Que opine Edith!

—¿Es la voz más autorizada?

—Por lo menos es la única ortodoxa.

—¡Pelados!

Edith aparentaba indignación pero en el fondo disfrutaba de los equívocos.

—Yo me pregunto —dijo Vicente— qué pasaría si una vez nos decidiéramos a acostarnos todos juntos.

—Que se acabarían los albures.

Jorge había hablado muy sentenciosamente y añadió:

—En el Ejército se hizo el experimento. Y sobrevino un silencio sepulcral.

—¿Tú también callaste?

—No me quedó nada, absolutamente nada que decir.

Permaneció serio, como perdido en la añoranza y la nostalgia. Suspiró para completar el efecto de sus revelaciones. Pero el suspiro se perdió en el estrépito de la llegada de un nuevo contingente de visitantes.

—¡Lucrecia! ¡Octavio! ¡Hugo! ¿Vinieron juntos?

—Nos encontramos en la puerta.

—Pasen y acomódense.

Cada uno lo hizo no sin antes entregar a Edith su tributo.

—¿Y tu mujer, Octavio?

—Se siente un poco mal. Me pidió que la disculparan.

—¿Embarazo?

—No es seguro todavía. Pero es probable, a juzgar por los síntomas.

—¡Qué falta de imaginación tienen las mujeres, Dios santo! No saben hacer otra cosa que preñarse.

—Bueno, Vicente, al menos les concederás que saben hacer también lo necesario para preñarse.

Edith miró a Octavio, interrogativamente. Suponía a Elisa, su mujer, inexperta, inhábil y gazmoña. Pero Octavio no dejó traslucir nada. Estaba muy atento a la dosis de whisky que le servían.

—¿Por qué tan solo, Hugo? ¿Se agotó el repertorio?

—Estoy esperando —respondió el aludido con un leve gesto de misterio.

—¿Tú también? —preguntó Jorge falsamente escandalizado.

—¡Basta! —gritó Edith.

—Voy a presentarles a una amiga alemana.

—¿Habla español?

—A little. Pero lo entiende todo.

—Muy comprensiva.

—En última instancia puede platicar con Octavio que estuvo en Alemania ¿cuántos años?

—Dos.

—Pero llevando cursos con Heidegger. Eso no vale.

—Yo hice la primaria allá —apuntó tímidamente Weston—. Lo digo por si se ofrece.

—¿No que te educaste en Inglaterra?

—También. Y en Francia. Conmigo no hay pierde, Hugo.

—¡Ya estarás, judío errante!

—Si lo de judío lo dices por mi padre, te lo agradezco. Es uno de mis motivos más fundados de desprecio.

—A poco tu papá es judío, tú.

—Pues bien a bien, no lo sé. Pero ah, cómo jode.

Lucrecia se revolvió, incómoda, en el asiento.

—¡Tanto presumir de Europa y mira nomás qué lenguaje!

—¿Sabes por qué los hijos de los ricos poseemos un vocabulario tan variado? Porque nuestros padres pudieron darse el lujo de abandonar nuestra educación a los criados.

—Y si tienen tan buen ojo para las mujeres es porque los inician sus institutrices.

Carlos se frotó las manos, satisfecho.

—Se va a poner buena la cosa hoy.

—No tengo miedo —aseguró Hugo—. Al contrario, me encanta la idea de que Hildegard tenga la oportunidad de hacer sus comparaciones.

—Al fin y al cabo lo importante no es ganar sino competir, como dijo el clásico.

Si hubiera estado allí Rafael habría hecho chuza con todos, reflexionó Edith. Y se alegró locamente de que no estuviera allí, de que no la hiciera estremecerse de incertidumbre y de celos.

—¿Contenta?

Jorge le había puesto una mano fraternal sobre el hombro, pero había en su pregunta cierto dejo de reproche, como si la alegría de los demás fuera un insulto a su propia pena. Edith adoptó, para responder, un tono neutro.

—Viendo los toros desde la barrera.

—Igual que yo. ¿No ha hablado Luis?

Edith hizo un signo negativo con la cabeza.

Jorge se apartó bruscamente al tiempo que decía:

—Es mejor.

¿Es mejor amputarse un miembro? Los médicos no recurren a esos extremos más que cuando la gangrena ha cundido, cuando las fracturas son irreparables. Pero en el caso de Luis y de Jorge ¿qué se había interpuesto? Por su edad, por sus condiciones peculiares, por el tiempo que habían mantenido la relación, la actitud tan definitiva de rechazo parecía incoherente. La intransigencia es propia de los jóvenes, la espontaneidad y la manía de dar un valor absoluto a las palabras, a los gestos, a las actitudes. Curiosa, Edith se prometió localizar a Luis e invitarlo a tomar el té juntos. Llevaría la conversación por temas indiferentes hasta que las defensas, de que su interlocutor llegaría bien pertrechado, fueran derrumbándose y diera libre curso a sus lamentaciones. De antemano se desilusionó con la certidumbre de que en el fondo del asunto no hallaría más que una sórdida historia de dinero (porque Jorge era avaro y Luis derrochador). ¡Dinero! Como si importara tanto. Cuando Edith se casó con Carlos ambos eran pobres como ratas y disfrutaron enormemente de sus abstenciones porque se sentían heroicos, y de sus despilfarros porque se imaginaban libres. Después él comenzó a tener éxito en su trabajo y ella a saber administrar los ingresos. La abundancia les iba bien y ni Carlos se amargaba pensando que había frustrado su genio artístico ni ella lo aguijoneaba con exigencias de nueva rica. El primer automóvil, la primera estola de mink, el primer collar de diamantes fueron acontecimientos memorables. Lo demás se volvió rutina, aunque nunca llegara al grado del hastío. Edith se preguntaba, a veces, si con la misma naturalidad con que había transitado de una situación a la otra sería capaz de regresar y se respondía, con una confianza en su aptitud innata y bien ejercitada para hallar el lado bueno —o pintoresco— de las cosas, afirmativamente.

—¿Por qué tan meditabunda, Edith?

Era Octavio. Edith detuvo en él sus negrísimos ojos líquidos —era un truco que usaba en ocasiones especiales— antes de contestar.

—Trato de ponerme a tono con la depresión reinante. Tú deberías estar más eufórico ya que eres un recién casado. Das muy mal ejemplo a los solteros. Los desanimas.

—Mi matrimonio es un fracaso.

—No puedes saberlo tan pronto.

—Lo supe desde el primer día, en el primer momento en que quedamos solos mi mujer y yo.

—¿Es frígida?

—Y como todas las frígidas, sentimental. Me ama. Me hace una escena cada vez que salgo a la calle y se niega a ir conmigo a ninguna parte.

—¿Aquí también?

—Aquí especialmente. Está celosa de ti.

—¡Pero qué absurdo!

—¿Por qué absurdo, Edith? Es en lo único en lo que tiene razón. Tú y yo somos... ¿cómo diré? aliados naturales. Eres tan suave, tan dúctil... Después de ese papel de estraza con el que me froto el día entero sé apreciar mejor tus cualidades.

—No sé a quién agradecer el elogio: si a ella o a ti.

Un arrebol de vanidad halagada subió hasta su rostro. Para esconderlo Edith se volvió al ángulo en que charlaban Carlos y Lucrecia.

—Parecen un poco tensos —dijo señalando la pareja a Octavio—. Si Lucrecia sigue apretando la copa de ese modo va a acabar por romperla.

—¿Te preocupa?

—No. La copa es corriente.

Ambos rieron y ella hizo ademán de tenderse en la alfombra. Octavio arregló unos cojines para que se acomodara.

—¿Cómo va la pintura?

Edith había cerrado los ojos para entregarse a su bienestar.

—Hmmm. Se defiende.

Octavio se había recostado paralelamente a ella.

—Tienes que invitarme a tu estudio alguna vez.

Edith se irguió, excitada.

—¿Vas a explicarme lo que estoy haciendo?

—Si quieres. Y si no, no. Aunque no lo creas también sé estarme callado.

—¿De veras?

Edith se había vuelto a tender y a cerrar los ojos.

—Si tengo algo mejor qué hacer que hablar... o si me quedo boquiabierto de admiración. ¿Cuál de las dos alternativas te parece más probable?

De una manera casual Octavio enroscaba y desenroscaba en uno de sus dedos un mechón del pelo de Edith.

—No soy profetisa —murmuró ella fingiendo no haber advertido la caricia para permitir que se prolongara.

—¿Mañana entonces? ¿En la mañana?

Edith se desperezó bruscamente.

—¿Vas a dejar sola a tu mujer tan temprano? Es la hora en que las náuseas se agudizan.

—Para que veas de lo que soy capaz, me perderé ese delicioso espectáculo por ti.

—Corres el riesgo de no encontrarme. A veces salgo.

—Mañana no saldrás.

—¡Presumido!

Edith se puso de pie con agilidad para dar por terminada una conversación que no haría sino decaer al continuarse. Fingió que hacía falta hielo y fue a la cocina por él. Sorprendió en el teléfono a Vicente, frenético, insultando a alguien. Cuando se dio cuenta de que era observado, colgó la bocina.

—¿Renée? —preguntó tranquilamente Edith.

Vicente se golpeó la cabeza con los puños.

—¡Abortó! Ella sola, como un animal...

—Yo la vi representar esa escena de *La salvaje* de Anouilh en la Academia de Seki Sano. A pesar de las objeciones del maestro, Renée no lo hacía mal.

Al ver el efecto que habían hecho sus palabras, Edith se acercó a Vicente dejando la cubeta de hielo en cualquier parte para tener libres las dos manos consoladoras.

—¡No lo tomes así! Ni siquiera sabes si esa criatura es tuya.

—¡No es el feto lo que me importa! ¡Es ella! No la creí capaz de ser tan despiadada.

—Y si te hubiera colgado el milagrito no la hubieras creído capaz de ser tan egoísta. ¿Qué puedes darle tú?

—Nada. Ni siquiera dinero para el sanatorio. Por eso tuvo que recurrir a... no sé qué medios repugnantes.

—Los parlamentos de *La salvaje*, cuando narra este hecho, son siniestros. No me extraña que te hayan alterado tanto... aunque los hayas oído sólo por teléfono.

—¿Crees que es teatro?

—Bueno... Renée es actriz.

—Pero lo que hizo... ¿o no lo hizo?

—En cualquiera de los dos casos no la culpes.

—¿Entonces qué? ¿Debo culparme yo?

—Tampoco. Renée no es ninguna criatura como para no saber cuáles son las precauciones que hay que tomar. Si se descuida que lo remedie ¿no?

—¡Muy fácil! Pero ahora ella me odia y yo la odio y los dos nos avergonzamos de nosotros mismos y ya nada podrá ser igual.

—Ay, Vicente, qué ingenuo eres. Todo vuelve a ser igual, con Renée o con otra. La vida es más bien monótona. Ya tendrás muchas oportunidades de comprobarlo.

—¿Y mientras tanto?

—Mientras tanto sirve de algo. Ayúdame a traer hielo y vasos de la cocina.

—¿Ha llegado más gente? Porque ando de un humor...

—No. Hugo se truena los dedos pensando si la alemana será capaz de dar correctamente la dirección al taxista.

—A lo mejor se va con el taxista. Sería más folklórico ¿no se te hace?

Edith sacudió la cabeza vigorosamente mientras vaciaba los cubitos de hielo.

—Estás instalado en el anacronismo. Esas cosas ya no pasan en México.

—En las películas que produce mi papá, sí.

—¿Y las ves? ¡Qué horror! De castigo te mando que cuando venga la alemana tú te estés muy quietecito ¿eh? La jugada que le hiciste con la francesa todavía no se le olvida.

—¡Chin! ¡Puro tabú! ¿Y con quién me voy a consolar? ¿Tú no tienes ninguna amiga potable, Edith?

—Allí está Lucrecia.

—Dije potable y dije amiga. Todos sabemos que Lucrecia no viene por ti.

—Todos saben que yo soy la que insiste para que no falte a ninguna de nuestras reuniones. Es la única manera de tener con nosotros a Carlos.

—Realmente tratas a tu marido como si fuera indispensable.

—Lo es. En un matrimonio un marido siempre lo es.

—¡Burgueses repugnantes!

—Nunca he pretendido ser más que una burguesa. Una pequeña, pequeñita burguesa. ¡Y hasta eso cuesta un trabajo!

Cuando volvieron al salón Hildegard estaba despojándose de un abrigo absolutamente inoportuno. Hugo se desvivía por atenderla y Octavio se abalanzó a la primera mano que tuvo libre para besársela al modo europeo.

—¿Qué te parece? —preguntó Edith a Vicente en voz baja desde el umbral.

—Un poco demasiado Rubens ¿no? A mí no me fascinan especialmente los expendios de carne.

—Mientras no te despachas con la cuchara grande ¿eh? Anda y saluda como el niño bien educado que Lucrecia no cree que eres.

Vicente hizo, ante la recién llegada, la ceremonia que le enseñaron sus preceptores con entrechocamiento de talones y todo. Hildegard pareció maravillada y dijo alguna frase en su idioma que Octavio se apresuró a traducir.

—"A un panal de rica miel..." —musitó Edith al oído del intérprete, pero Octavio únicamente prestaba atención a la copa que le ponían al alcance de la mano.

—Es un poco descortés que no nos presenten —dijo ahora Edith con la voz alta, bien modulada y clara.

Todos lo hicieron al unísono, con lo que la confusión natural de este acto se multiplicó hasta el punto de que ya nadie sabía quién era quién.

Edith se escabulló y fue a sentarse junto a Jorge porque Carlos y Lucrecia continuaban al margen, enfrascados en una discusión aparentemente muy intrincada.

—No te dejes ganar por la tristeza, Jorge. Los domingos son mortales. Pero luego viene el lunes y...

Vendría el lunes. Jorge pensó en el cuarto de hotel que ocupaba desde que lo abandonó Luis, desde que todos los días eran absolutamente idénticos. Envejecer a solas ¡qué horror! Y qué espectáculo tan ridículo en su caso. Sin embargo él lo había escogido así, había permitido que sucediera así. Porque a esa edad ya ni él ni Luis podrían encontrar más que compañías mercenarias y fugaces, caricaturas del amor, burlas del cuerpo.

Edith observaba las evoluciones de Octavio, su talentoso y sabio despliegue de las plumas de su cola de pavorreal ante los ojos ingenuos y deslumbrados de Hildegard. Y vio a Hugo mordiéndose las uñas de impotencia. Y a Vicente riendo por lo bajo, en espera de su oportunidad. Se vio a sí misma excluida de la intimidad de Carlos y Lucrecia, del dolor de Jorge, del juego de los otros. Se vio a sí misma, borrada por la ausencia de Rafael y un aire de decepción estuvo a punto de ensombrecerle el rostro. Pero recordó la tela comenzada en su estudio, el roce peculiar del pantalón de pana contra sus piernas; el suéter viejo, tan natural como una segunda piel. Lunes. Ahora recordaba, además, que había citado al jardinero. Inspeccionarían juntos ese macizo de hortensias que no se querían dar bien.

Música concreta
Amparo Dávila

"Se parece a Marcela", piensa Sergio deteniéndose, y se da vuelta para observar mejor a la mujer que sólo ha visto de reojo al pasar por la Librería Francesa. "¡Pero si es Marcela misma!", y no sale del asombro al comprobar que esa desaliñada y ensombrecida mujer que mira con desgano el escaparate es su amiga Marcela. Tiene urgencia de llegar a la oficina antes de las seis de la tarde pero se queda unos minutos platicando con ella. No puede impedir preguntarle antes de despedirse:

—Te noto desmejorada, ¿has estado enferma?

—No precisamente —dice Marcela con desaliento—, tal vez se debe a que duermo mal.

—Por qué no tomamos un café, cuando tú quieras, y platicamos un buen rato. Hoy me encantaría, pero tengo que revisar algunas cosas antes de que salga mi secretaria.

Se va caminando de prisa pero lleva en la mente el rostro marchito de Marcela, el notable descuido de su persona. Siente una gran incomodidad consigo mismo, algo así como remordimientos por haberla tenido tan olvidada, por verla tan poco en los últimos meses. "Me he ido llenando de trabajo y compromisos en una forma bastante absurda: ya ni siquiera puedo ver a las gentes que quiero." Todavía el año anterior se reunía a menudo con Marcela y Luis, casi todos los sábados por la noche en que oían música o se enfrascaban en discusiones sobre cualquier cosa, mientras vaciaban una o dos botellas...

"¿Qué le pasará a Marcela?", se pregunta de nuevo Sergio mientras se rasura. Piensa que tal vez ese cambio se debe al tiempo, que ya no tienen veinte años y sí están cerca de los cuarenta. Se quita la jabonadura y se contempla en el espejo con detenimiento. "No es eso, debe tener alguna cosa, algo le debe ocurrir", y le duele pensar que ha de ser algo serio, tanto que ha ocasionado un cambio tan desastroso, y él sin saber nada. Bajo la ducha vuelve a la época de la Preparatoria, cuando Marcela y él andaban siempre juntos: iban a las mismas fiestas, les encantaba caminar sin rumbo por la ciudad o mataban las horas sentados en el café, "estaba muy espigada y tal vez un poco pálida pero eso le daba un aire interesante, apenas se pintaba y recogía sus largos cabellos castaños hacia atrás como cola de caballo, era una linda muchachita", se dice Sergio. Habían estado todo ese tiempo tan cerca uno del otro que nunca se le ocurrió preguntarse qué clase de afecto los unía. Marcela era como una parte de él mismo. Alguna vez se había puesto romántico pero no habían pasado de unos cuantos besos inocentes. Tal vez Marcela estuvo esperando a que él se decidiera, tal vez se cansó de esperar y un día se hizo novia de Luis, quién sabe... "A lo mejor ayer estaba desvelada o un poco triste sin ganas de arreglarse y no pasa nada; ella está igual que siempre y yo soy el que está haciendo una montaña ¡qué bueno sería que sólo fuera mi imaginación!" Y comienza a leer el periódico mientras desayuna hasta que deja de pensar en su amiga.

Llega a su departamento, cansado después de un día de trabajo, y como aún es buena hora llama a Marcela para concertar una cita. Una, dos, tres llamadas, quiere oír su voz alegre como siempre: "¡Ah, eres tú, Sergio, qué gusto!" Una llamada más y contesta la propia Marcela, pero no con la voz que él conoce y espera, que tiene necesidad de escuchar. Claro que sí le ha dado gusto que sea él quien la llama, lo siente, lo sabe bien, pero es indudable que algo anda mal en ella. Quedan de verse al día siguiente. Desalentado, camina por la estancia. Le molesta que Velia esté fuera de la ciudad. Por lo menos hablaría con ella de su preocupación por Marcela, pero la pobre es tan poco atinada. Ya podría haber regresado, quince días son más que suficientes para tostarse y lucirse en la playa... Decide leer un rato y busca el libro de Miller. Se tumba en un sillón; le duele ligeramente la pierna izquierda, se la frota con la mano; es un fastidio que aún le duela con el frío después de tanto tiempo, Miguel no le cree cuando se lo dice y nunca le receta nada, "estos médicos son una lata..." Se acuerda de cuando se rompió la pierna. Marcela fue realmente la única persona que lo acompañó con constancia aquellas largas tardes en el hospital; los otros se cansaron pronto; la tal Irene se fue a visitar a su madre a San Francisco. Marcela llegaba siempre muy fatigada: "Luis vendrá por la noche. Te compramos este libro. Luis dice que es muy bueno y te gustará..." Se sentaba con dificultad (esperaba entonces su segundo hijo) y le contaba todas las novedades, los

chismes de los amigos, le acomodaba las almohadas y le leía, sin cansarse, hasta que la tarde se iba y
llegaba la enfermera con la charola de la merienda.
Luis iba siempre a buscarla, conversaban un rato
más, y después se marchaban cogidos de la mano
con aquel aire de novios tímidos que le hacía tanta
gracia. El día que se casaron él estaba tan nervioso
como el propio novio; tal vez un poco más, ya que
Luis era más calmado para todo. Le parecía que Luis
nunca terminaría de vestirse, que llegarían tarde;
después perdieron los anillos y ya cerca de la iglesia
él se pasó un "alto" y por poco se los llevan a la
comisaría. Habían llegado cuando ya todo mundo
estaba inquieto...

Después de las siete y media de la noche, entra Sergio en el café del *Ángel* y encuentra a Marcela sentada a una mesa del fondo.

—¿Hace tiempo que me esperas? —pregunta
Sergio al darse cuenta de que el café que bebe Marcela está completamente frío—. No tengo remedio, siempre llego tarde —toma la mano de Marcela
y la retiene entre las suyas.

—No te aflijas —dice ella—, no me acordaba
si habíamos quedado de vernos a las seis y media, o
a las siete y media, entonces...

—Que eso me pase a mí es casi natural —dice
Sergio bromeando—, pero a ti, con esa increíble
memoria que siempre has tenido y que yo tanto te
envidio...

Marcela dice que su memoria ya no es la misma, que se olvida de todas las cosas o las confunde.
Sergio la mira fijamente tratando de averiguar lo
que le ocurre; como no tiene éxito le pregunta:

—¿Qué te pasa Marcela, qué te ha sucedido?

Ella saca un cigarrillo y permanece callada. Sergio llama al mesero y pide dos cafés.

—No sé, todo ha sido tan confuso, tan inesperado, como un sueño desastroso, una pesadilla; a veces creo que voy a despertar y que todas las cosas están intactas.

Juega con su argolla de matrimonio, le da vueltas nerviosamente en el dedo, se la quita, se la pone, se la vuelve a quitar. Sergio intuye que debe ser algo de Luis, algo que le duele y le cuesta trabajo decir. Él también está incómodo, hay mucha gente en el café, mucho ruido, no están bien ahí.

—Voy a pagar la cuenta —le dice—, nos iremos a mi casa.

Marcela no responde pero acepta con la mirada. En el camino los dos hablan de cosas que no les interesan mayormente: si leíste tal libro, si viste tal película, que las noches empiezan a ser frías, que oscurece temprano, que los días no alcanzan para nada... Sergio conecta el radio del auto; la voz grave, cálida de Armstrong los envuelve. Marcela mira pasar los árboles de la avenida Tacubaya, "I'll walk along, because to tell you the truth I'll be lonely, I don't mind being lonely when my heart tells me you are lonely too", dice Armstrong.

—¿Te acuerdas —pregunta Sergio— cuando oíamos este disco hasta rayarlo?

Marcela asiente pero él sabe que no puede llevarla hacia atrás, que ella está estancada en otro momento del cual no quiere o no puede salir. Él vuelve a aquellos domingos en la tarde: Marcela, Luis y él en su pequeño cuarto de estudiante, bebiendo ron y escuchando a Armstrong. Marcela sentada en el piso con las piernas encogidas y cruzadas llevando el compás con un leve balanceo, Luis tumbado a su lado mirando el techo y él dirigiendo una orquesta invisible, poseído, arrastrado por Louis...

—Hace frío —dice Sergio y comienza a arreglar los leños para encender la chimenea.

Marcela se ha acomodado en una butaca hecha un ovillo. "Por lo menos ya no está tan tensa, pero ¿por qué no habla, por qué no cuenta lo que le pasa?" Él se dedica a preparar el café y a los pocos minutos el olor llena la estancia. Sirve las tazas y comienza a sentirse cercado por el silencio de Marcela. Es la primera vez, desde que la conoce, que no sabe de qué hablar con ella. Le pregunta si está bien de azúcar; ella dice que sí. Le ofrece un cigarrillo y él enciende otro. Marcela menea su café, Sergio se pone a hacer anillos con el humo.

—Luis me engaña y todo se ha roto entre nosotros.

Sergio la mira sin saber qué decir.

—Ha sido un golpe tremendo, como quedarse de pronto caminando sobre una cuerda floja, sin tiempo ni espacio donde situarse.

—¿Estás segura, Marcela?

—Claro que estoy segura, yo misma lo comprobé. Al principio me desconcertaba su actitud de despego hacia mí, cada vez más marcado, sus ausencias. Me inventé muchas excusas, di muchas vueltas, no quería darme cuenta.

—Debe ser algo pasajero, algún capricho —dice Sergio y va a buscar una botella.

Marcela mueve la cabeza negativamente y le alarga su copa. Él le sirve mientras piensa que las mujeres agrandan siempre las cosas; siente frío y atiza la lumbre.

—Hace apenas unos meses que lo descubrí, después supe que todo viene de tiempo atrás, varios años.

Los leños arden en grandes llamas anaranjadas cuyo resplandor le da un aspecto más desolado al rostro marchito de Marcela. Sergio se acomoda hasta el fondo de la butaca y enciende un cigarrillo.

—¿Quién es?

—Una costurera.

Él se dice que aunque las cosas estén agrandadas por Marcela existen y la han destruido, existen como esas llamas que bailan en la chimenea. No hay más que verla, que oírla, está tan sola y entristecida como una casa abandonada y en ruinas. Bebe un buen trago, la mira tan derrumbada, "¡mi pobre Marcela, la muchachita de cola de caballo!", tan de él, tan su hermana, como un brazo o algo de él mismo así le duele. Trata, lo mejor que puede, de levantarle el ánimo, de comunicarle esperanza... sólo la muerte es irremediable, todo tiene solución, las cosas pueden cambiar, será un mal momento, una experiencia dolorosa, pero siente dentro de él que sus palabras son huecas, que no sirven, que son sólo palabras, deseos que no hacen milagros.

Había concertado una cena de negocios pero a última hora le avisan que se pospondrá para otra fecha. Tiene la noche libre pero no siente ganas de hacer nada ni de ver a nadie. La situación de Marcela lo ha perseguido. Por más vueltas que le ha dado al problema no encuentra qué puede hacer para ayudarla. Varias veces se propuso hablar con

Luis, pero desechó la idea. Todo le parece inútil, ineficaz. "Sólo ellos mismos pueden arreglar sus cosas." Sabe que nadie cambia su vida o deja de hacer algo por consejo de un amigo. Decide irse para su casa y ahí comer algo. Cuando llega encuentra a Marcela sentada en el piso cerca de la chimenea.

—¡Tú aquí, nunca pensé...! —dice Sergio sorprendido y contento de encontrarla.

—Me dijeron que volverías tarde, pero tuve una corazonada y me esperé.

—¡Qué bueno que hayas venido! —dice Sergio inclinándose a besarla—, me tienes muy preocupado.

—Es el segundo coñac —dice ella señalando el vasito que está a su lado—. He sentido mucho frío.

—Sí, hace algo —dice Sergio y va a servirse una copa. Regresa y se sienta a su lado—. ¿Has hablado con Luis, te ha dado alguna explicación?

—Varias veces hemos hablado —dice Marcela con voz desalentada— pero es inútil, lo niega todo; dice que es invención mía y cada vez se abre entre nosotros una zanja más honda. Vivimos agazapados, desconocidos, ahogados por el silencio.

—Tal vez con el tiempo... —empieza a decir Sergio, pero Marcela no lo deja terminar.

—Hay algo más que no te conté el otro día, por eso vine hoy... también me persigue.

—¿Quién? —pregunta Sergio frunciendo la frente.

—Ella. Me persigue noche tras noche, sin descanso, durante largas horas, a veces toda la noche, sé que es ella, recuerdo los ojos, reconozco sus ojos saltones, inexpresivos, sé que quiere acabar conmigo y destruirme por completo, ya no duermo, hace tiempo que no me atrevo a dormir de noche, estaría a su merced, paso las horas en vela oyendo todos los ruidos del jardín, entre ellos reconozco el suyo, sé cuando llega, cuando se acerca hasta mi ventana, cuando espía todos mis movimientos; el menor descuido me perdería, cierro las ventanas, reviso las puertas, las vuelvo a revisar, no dejo que nadie las abra, por cualquiera puede entrar y llegar hasta mí, son noches interminables oyéndola tan cerca, una tortura que me va consumiendo poco a poco hasta que se agote mi última resistencia y me destruya...

—Toma, bebe un poco —dice Sergio alcanzándole la copa. Él siente que se ha quedado bloqueado, que no ha entendido bien y quisiera preguntar y aclarar pero ella no lo deja.

—Empecé a dormir mal cuando lo descubrí todo y me pasaba las noches dando vueltas en la cama, oyendo los ruidos de la noche, ruidos lejanos, vagos, comencé a distinguir uno que sobresalía de entre los demás y que cada vez era más fuerte y más preciso, cada vez se acercaba más hasta llegar a mi ventana y ahí permanecía horas y horas, después se iba, se desvanecía a lo lejos y la noche siguiente regresaba; así todas las noches, igual, sin descanso, una vez la descubrí, eran sus ojos, yo los conocía, muchas veces seguí a Luis con la esperanza de que fueran sólo sospechas infundadas de parte mía, pero él entraba siempre en el mismo edificio, Palenque 270, y pasaban horas antes de que volviera a salir; supe que ahí vivía ella pero nunca la había visto... Un día llegaron juntos en el auto de Luis, la alcancé a ver bien, los ojos saltones, inexpresivos, los mismos ojos que descubrí bajo mi ventana entre las hierbas...

Marcela se pasa la mano por la frente tratando de borrar una imagen; después enciende un cigarrillo. El reloj da las once de la noche, Sergio se sobresalta. Se da cuenta de que es el reloj, su reloj, el que está ahí sobre la chimenea desde hace tiempo, el que da las horas igual, de la misma manera, pero que ahora le parece distinto. Bebe un poco de coñac que también le sabe a otra cosa, con otro gusto, como si todo y él mismo hubiera cambiado. "Estoy embrutecido." Todo ha sido tan inusitado, tan confuso, que no sabe qué pensar ni cómo entender. Mil pensamientos invaden su mente como fragmentos desarticulados, como las piezas en desorden de un motor, y él no encuentra la primera pieza, el punto de donde partir para después seguir acomodando las otras. Su mente es una maraña difícil de desenredar.

—¿Tú qué harías, Sergio? —pregunta de pronto Marcela—, dímelo.

Sergio la ve como una niña acorralada a punto de precipitarse que pide ayuda.

—Estás muy nerviosa, muy agobiada, y cuando uno se encuentra así todas las cosas se transforman y se agrandan...

—No, Sergio, no son mis nervios, es su presencia ahí bajo mi ventana todas las noches, ese croar y croar y croar toda la larga noche...

—¿De qué estamos hablando, Marcela? —pregunta Sergio angustiado—, o más bien, ¿de quién estamos hablando?

—De ella, Sergio, del sapo que me acecha noche tras noche, esperando sólo la oportunidad de entrar y hacerme pedazos, quitarme de la vida de Luis para siempre.

—Marcela querida, ¿no te das cuenta de que todo eso es sólo una fantasía? Una fantasía a la que te ha llevado tanto tiempo sin dormir, tu ensimismamiento, el dolor mismo...

—No, Sergio, no.

—Sí, querida, el sapo no existe, es decir, los sapos sí existen pero no ese que tú crees, ella. Será un sapo cualquiera que ha tomado la costumbre de ir hasta tu ventana todas las noches...

—No me entiendes, Sergio, todo es tan difícil de explicar, por eso no te lo había contado. No sabía, no sé cómo decirlo...

—Yo te entiendo, Marcela.

—No me entiendes, no quieres entenderme. Piensas que son mis nervios o tal vez que estoy loca...

—No digas eso, yo sólo pienso que estás muy nerviosa y muy destrozada.

Marcela, que ha permanecido todo el tiempo en la misma postura con las piernas encogidas, apoya la cabeza sobre las rodillas y comienza a sollozar. "Tiene la misma actitud, el mismo dolor que aquella noche, cuando supo de la muerte de su abuela", piensa Sergio y le comienza a acariciar el cabello sin decir nada. No encuentra la palabra que la alivie; se siente tan torpe y mutilado como si de pronto se hubiera agotado interiormente y sólo quedara dentro de él un embotamiento, una pesadez agobiadora (oye el timbre de la puerta), lo único que sabe es que está sufriendo con Marcela, tanto como ella y por ella (vuelve a oír el timbre); él, que siempre se ha defendido del sufrimiento y huye por sistema de todo lo que pueda causarle dolor, aquí está ahora completamente destrozado, hecho una mierda (otra vez el timbre). "¿Quién podrá ser?", se pregunta con disgusto.

—Alguien toca —dice Marcela levantando la cabeza.

—Sí —contesta Sergio.

—No quiero ver a nadie, saldré por la cocina.

—Espera, no es necesario que abra.

Vuelve a sonar el timbre y una voz de mujer llama a Sergio.

—¡Tenía que ser Velia! —dice Sergio fastidiado—, sólo ella es capaz de armar tanto escándalo.

Deciden que lo mejor es abrirle antes de que despierte a todo el edificio con sus gritos. Sergio abre la puerta y Velia se precipita adentro. Besa a Sergio y después a Marcela que no se ha movido. Como espectadores mudos, la ven que empieza a quitarse el abrigo y los guantes mientras explica que no pudo avisar de su llegada. Al pasar para su casa había visto luz en el departamento y decidió darle una sorpresa y, como no le abría, comenzó a ponerse nerviosa temiendo que algo le hubiera ocurrido. "Qué podía haberme ocurrido, no teníamos ganas de ver a nadie", piensa Sergio con disgusto y está a punto de decírselo, pero sus ojos se encuentran con los ojos verdes de Velia y el mal humor y la tirantez ceden: le dice simplemente que no pensaban que fuera ella. Velia nota que Marcela ha llorado y trata de saber lo que le ocurre, pero Marcela ya no tiene alientos para hablar.

—Me puse triste —es lo único que dice. Se despide casi inmediatamente y Sergio la acompaña hasta su automóvil.

—Te llamaré pronto —y la besa en la mejilla.

Regresa al departamento sin darse ninguna prisa. Le molesta la presencia de Velia, es cierto que la extrañaba y quería que regresara, pero no en ese momento en que tiene necesidad de estar solo con su maraña de pensamientos.

—Qué bueno es volverte a ver —dice Velia abrazándolo. Sergio la besa levemente y se sientan muy juntos.

—Fueron muchos días —dice Sergio, por decir algo, y su mano acaricia con desgano el brazo tostado de Velia, mientras piensa: "podías haber regresado la semana pasada pero tuviste que llegar en el momento en que yo no tengo ganas de nada, ni siquiera de ti y soy un embrollo".

—¿Qué le pasa a Marcela?

—Ella te lo dijo, estaba triste y lloró.

Él prepara unas copas y oye a Velia diciendo que encuentra a Marcela muy desmejorada y como ensombrecida. Tal parece que hubiera perdido, por completo, el interés en su persona y en todo lo que la rodea.

—Sí, es notable el cambio que ha sufrido —dice Sergio regresando con las copas.

—Y tú también tienes algo, algo que no me dices...

Sergio no contesta, bebe un poco. ¿Cómo decirle lo que él mismo no entiende, lo que le da vueltas por dentro y no logra atrapar ni parar? Velia insiste en saber lo que pasa y pregunta y vuelve a preguntar.

—Estoy preocupado por Marcela —comienza a decir Sergio y termina contándole todo el problema, es decir, lo que él ha logrado rescatar: que Luis la engaña y eso ha sido un golpe mortal para la pobre Marcela, que se ha hundido por completo; ha dejado de dormir y su sistema nervioso está sumamente alterado; sufre persecuciones de la amante de Luis, las cuales él está seguro de que sólo existen en su mente. Esto es todo lo que Sergio cuenta: una historia de triángulo bastante igual a millones de historias del mismo género, pero él sabe que hay algo más, algo que ni él mismo se cuenta y quiere quedarse solo y repasar el diálogo con Marcela, reconstruir todo lo que ella le ha contado. Pero Velia no se va y el resto de la noche tiene que transcurrir como si nada hubiera pasado. Beben otras copas, Velia comenta sus vacaciones: el tiempo era increíble, el agua deliciosamente tibia, todo mundo estaba en Acapulco, qué pena que Sergio no hubiera ido, se habrían divertido mucho; aunque no le creyera, lo había extrañado una barbaridad... Preparan algo para comer, comen y hacen el amor. Después cuando Velia duerme a su lado, Sergio escucha los ruidos de la noche y vuelve a pensar en Marcela con angustia, "ahora ha de estar viviendo otra de sus noches desquiciantes".

Sergio y Velia se han encontrado en un bar de Reforma a donde van con frecuencia. Él mira con desgano la gente que entra y que sale. Las muchachas como patrón, con el peinado abultado "a la italiana", los ojos sumamente pintados y los labios pálidos; ellos con su corbata de moño y su saquito entallado.

—¿Y Marcela, has sabido algo?

Sergio dice que ha estado muy ocupado y no ha podido buscarla, ni siquiera llamarla por teléfono.

—Yo pienso que con un poco de tiempo se recuperará y se olvidará de todo —dice Velia—, hasta de Luis, ¿no te parece?

—Marcela tiene un mundo muy especial, lleno de fantasías, por eso me preocupa tanto.

—Pero ya no es una niña, Sergio. Las fantasías son propias de la niñez, es absurdo a su edad apartarse de la realidad.

Sergio la deja hablar, reconoce que es lo mismo que él se ha estado diciendo durante días y días. Él es el primero en admitir lo descabellado de la historia que se ha creado Marcela, pero también sabe que esa fantasía la está destruyendo por completo y es eso lo que lo desespera; de alguna manera él tiene que hacerla entender, despertarla de ese sueño absurdo y volverla a la realidad... Se da cuenta de que Velia ya no dice nada y lo mira atentamente.

—Me quedé pensando en Marcela —dice apenado y le acaricia la mejilla.

Ella sonríe indulgente.

Muy temprano, en la mañana, suena el teléfono. Sergio salta de la cama atarantado. Marcela se disculpa por haberlo despertado pero necesita verlo, es muy urgente. Él también así lo siente por el tono de la voz, entrecortada y jadeante.

—Ven en cuanto puedas, ahora mismo.

Se mete a la regadera para acabar de despertar. Pensaba dormir hasta tarde como todos los domingos, pero no le pesa, hablará con Marcela de una vez por todas y todo el tiempo que sea necesario. Mientras la espera prepara café y unas tostadas, y le telefonea a Velia para que no pase a buscarlo. Él irá por ella cuando termine de hablar con Marcela.

Cuando Marcela llega se sientan a tomar el café cerca de la ventana. "Tiene un aspecto deplorable", se dice Sergio.

—Anoche —comienza a contar Marcela— todo estuvo a punto de terminar, es decir, pudo haber sido mi última noche, alguien, yo creo que Lupe, dejó abierta la puerta de la estancia que comunica al jardín, por ahí entró, yo había escuchado durante varias horas su croar y croar junto a mi ventana, después se fue alejando el ruido hasta que se perdió, pensé que se había ido y no dejó de sorprenderme... Un poco tranquila comencé a dormitar, de pronto empecé a oír algo que caía pesadamente, de tiempo en tiempo, que se iba acercando cada vez más, cada vez más, me levanté y corrí hasta la puerta de mi cuarto, ahí estaba en el *hall* a unos cuantos pasos de mi puerta, un salto bastaba para que entrara, ahí estaba con sus enormes ojos que parecían estar ya fuera de las órbitas a punto de lanzarse sobre mí, lo sé por las patas replegadas en actitud de salto, porque se iba inflando enfurecida ante mi vista y por su deseo de destruirme... de un golpe cerré la puerta y di vuelta a la llave, en el mismo momento la oí estrellarse contra la puerta y croar, croar, quejarse de dolor y rabia, fue un instante el que me salvó, un solo instante, di otra vuelta a la llave y me quedé pegada a la puerta escuchando, gemía dolorosamente, después oí cómo se iba yendo con su sordo golpear, sus cortos saltos pesados... yo sudaba copiosamente, después me desvanecí, cuando volví en mí ya era de día. Me metí en la cama tratando de calentarme, tenía mucho frío y mucho miedo, no lo logré, seguía temblando de pies a cabeza, entonces te llamé...

De una manera automática Marcela se lleva a los labios la taza de café que no ha probado aún.

—Debe de estar helado —dice Sergio—, no lo tomes, voy a calentarlo —y se va a la cocina pensando: "¿cómo empezar a decirle, qué decirle?"

Regresa con el café caliente, le sirve a Marcela, se sirve él también. El sol entra y baña la estancia, son las nueve y media de la mañana de un domingo del mes de octubre, todo es real, cotidiano, tan real como la mujer que menea el café sentada frente a él, como él mismo que saborea su descanso semanal. Lo que no encaja a esa hora son las palabras, el mundo que ella expresa.

—Te vas dejando llevar muy de prisa por tu imaginación y tus nervios excitados; detente, querida, es un camino muy peligroso, y a veces es sólo un paso, un paso que se da fácilmente, después...

—Cómo es posible que me digas estas cosas —dice Marcela con gran desencanto—, que no comprendas; no es imaginación, ni sueño, ni son mis nervios como tú les llamas, es una realidad aterradora, desquiciante, es estar tan cerca de la muerte que uno empieza a sentir su frío sobre los huesos.

—A veces uno sin querer —dice Sergio—, sin darse cuenta, mezcla la realidad y la fantasía y las funde, se deja atrapar en su maraña y se abandona a lo absurdo, es como irse de viaje hacia una ciudad que nunca ha existido.

—Es difícil de explicar, de creer, pero existe y tú no quieres darte cuenta; yo reconocí los ojos desde la primera noche que los sorprendí entre las plantas bajo mi ventana, la vi bien el día que iba con Luis, los mismos ojos saltones, fríos, inexpresivos, la cara demasiado grande para su corta estatura, pegada sobre los hombros, sin cuello...

Sergio se levanta y camina por la estancia, después se recarga de espaldas a la ventana y le dice:

—Tienes que darte cuenta de lo ilógico de esta situación, no es posible que sea realidad esa loca fantasía que ha creado tu imaginación, estás cansada, debilitada por el sufrimiento.

—Y la desesperación de saber que cada noche puede ser la última, te he dicho que fue sólo un instante el que me salvó, un instante, cerrar la puerta antes de que saltara sobre mí.

Sergio se da cuenta de que ella ya no puede salir de esa obsesión que la aprisiona distorsionándolo todo y que será inútil lo que él le diga.

—¿Y ahora qué hacer?, ¿si esta noche o mañana, o la otra puede ser la última?, ¿qué puedo hacer, Sergio?, perseguida, acechada sin descanso, noche a noche, minuto a minuto, sin tener el alivio del sueño, siempre atenta, escuchando, siguiendo sus movimientos como el reo que espera en su calabozo la hora final, ¿por qué ese empeño, esa saña en terminar conmigo?, ya me destrozó al arrebatarme a Luis, ¿qué más quiere?, la noche entera croando, croando, croando horriblemente, sin parar, afuera y dentro de los oídos tengo su croar, su croar estúpido y siniestro...

Sergio la ve llevarse las manos a la cabeza tratando de taparse los oídos. Siente un gran dolor, una como desollada ternura que se le anuda en la garganta; sabe que está a punto de llorar y se da vuelta, de cara a la ventana, para que ella no lo vea. Ve afuera la asoleada mañana de octubre, ve pasar los automóviles por la avenida de árboles dorados, algunas personas con canastas de comida para irse al campo, ve un vendedor de flores, un lechero, el cartero que pasa en bicicleta; pasan algunas muchachas casi niñas, recuerda a la niña de cola de caballo, quisiera, quisiera irse al campo, ayer, con aquella niña, su amiga, su hermana, la parte de él que está destrozada tapándose los oídos, quisiera...

—Me voy, Sergio —dice Marcela tocándole el hombro con la mano—, quiero comer con los niños.

Sergio se vuelve sorprendido y la mira irse, sin poder decirle nada. Se asoma de nuevo a la ventana: ve partir el automóvil de Marcela y después perderse por la avenida. Marca el número de Velia y le pide que pase a buscarlo; al colgar la bocina se arrepiente de haberla llamado, hubiera sido mejor estar solo, pero tampoco eso quiere, en realidad no quiere nada, tal vez con una copa se sienta mejor, tal vez, pero él ya no puede tener paz, sufre por Marcela como con una enfermedad que de pronto hubiera adquirido, un mal insufrible que no se puede hacer a un lado porque está ahí fijo, doliendo constantemente.

Velia lo encuentra cabizbajo. Pasean un rato por el bosque lleno de niños y de globos. Él apenas habla, se deja llevar. Después en el bar le cuenta a Velia sus temores, la inutilidad de su esfuerzo y el dolor que le produce no poder hacer nada por Marcela. Cuando terminan de comer Velia le pregunta qué quiere hacer, adónde quiere ir.

—Adonde tú quieras, me da lo mismo.

Pasean por la ciudad desierta como todas las tardes de domingo, bajo un cielo pesado, agobiante, incendiado por un crepúsculo prematuro. Pa-

sean un buen rato en silencio, sin rumbo, hasta que
el aire fresco de la tarde les azota el rostro como un
látigo de hielo; Velia detiene el auto y sube el capa-
cete. Siguen vagando hacia ninguna parte. "Sería
bueno ver a la costurera" se le ocurre de pronto a
Sergio, pero ¿para qué?, ¿qué decirle?... tal vez hablarle del estado en que se encuentra Marcela, ex-
plicarle lo grave de la situación, quizá insinuarle que
se vaya un tiempo de la ciudad, a lo mejor con eso
Marcela se tranquilice, el saberla lejos la mejore...
le parece una idea descabellada, sería una comisión
que él nunca hubiera aceptado... ¡pobre muchacha!,
su único delito era haberse enamorado de un hombre ajeno. Después de todo, ese tipo de relaciones
siempre le han despertado lástima, ¿por qué no decirlo?, también simpatía; siempre viviendo a la sombra, a hurtadillas, abortando al segundo mes llenas
de dolor y miedo, botadas con los años como un
costal de huesos inservibles. Realmente les tiene
mucha lástima. Piensa que debe ser una buena
muchacha, piensa que se conmoverá al saber cómo
se encuentra Marcela, Palenque 270...

Le pide a Velia que lo lleve a la calle de Palenque donde vive la amante de Luis. Velia lo mira
muy sorprendida.

—Pero tú ¿qué vas a hacer ahí?

—No lo sé muy bien, pero siento que hablar
con ella es mi único recurso y lo voy a intentar.

Velia lo deja en la esquina del edificio y se queda esperándolo.

Sergio sube hasta el tercer piso y toca el timbre
del departamento 15. Nadie responde. Teme que
por ser domingo haya salido. Vuelve a tocar. Una
muchacha sin edad abre la puerta, Sergio sabe que

es ella y le dice que quiere hablarle. La muchacha se le queda viendo entre sorprendida y temerosa. Del departamento salen unos extraños y confusos ruidos.

—¿Me permite pasar?

Ella no responde y hace el intento de cerrar la puerta. Sergio la detiene, introduciéndose al departamento. Localiza los extraños sonidos que escuchó al abrirse la puerta saliendo de un radio: "debe ser música concreta o algo por el estilo, tal vez el programa dominical de Radio Mil", piensa Sergio mientras da una rápida mirada al departamento: una larga mesa de cortar, una máquina eléctrica de coser, un maniquí negro, un espejo, otros muebles... La muchacha lo observa atentamente sin ofrecerle una silla pero él toma asiento. Entonces ella hace lo mismo colocándose frente a él y desde ahí lo mira; él también la mira con extrañeza mientras saca un cigarrillo y lo enciende. "Bastante rara la tipa", piensa Sergio.

—He venido para hablarle de Marcela.

—¿De quién? —pregunta ella con una vocecita meliflua y gelatinosa que se le atraganta a Sergio.

—De mi amiga Marcela, la esposa de Luis —dice Sergio irritado por la necia pregunta.

En el rostro de ella se medio dibuja una sonrisa entre burlona y despectiva, dice algo que Sergio no alcanza a escuchar bien, algo que él interpreta como un "no sé de qué me habla". Él siente que no se la puede oír porque habla como para adentro de ella misma y porque los desagradables sonidos, como gritos inarticulados, han aumentado en intensidad. Sergio mira hacia el radio pero ella no hace nada por bajar el volumen, como si no le molestara el ruido o no se diera cuenta de él. Sergio empieza a hablarle de Marcela, a describir lo mejor que puede el dolor de su amiga, su desplome interior, sus nervios destrozados; le dice, le explica, vuelve a explicar, habla solo, ella no contesta, "no hay comunicación, no le interesa nada, no le conmueve nada", calla, pero él sabe que no es el silencio de los seres enigmáticos sino el de aquellos que no tienen nada que decir, y la música, es decir, esos como ruidos destemplados cada vez más fuertes, intolerablemente fuertes y violentos como una agresión, envolviéndolos, ahogándolos... él vuelve a hablar, a explicar; sugiere que se vaya un tiempo, sería lo más conveniente para todos. Ella sólo lo mira y lo mira fijamente; de vez en cuando él ve la misma sonrisa, su utilizada sonrisa de máscara que le adelgaza aún más los labios alargándolos. Sergio habla cada vez más alto para hacerse oír, ella lo mira como burlándose de su empeño; él tampoco puede dejar de mirarla, la cara es demasiado grande para su corta estatura, no tiene casi cuello, como si tuviera la cabeza pegada a los hombros... Ahora ya no sugiere, pide abiertamente; le exige que se vaya un tiempo lejos mientras Marcela se recupera, ella lo mira con sus ojos saltones, fríos, inexpresivos; Sergio casi grita para no dejarse opacar por esos ruidos que parecen salir de adentro de ella: un triste y monótono croar y croar y croar a través de toda la larga noche, "tiene razón Marcela, los ojos están fuera de las órbitas, los labios son una línea de lado a lado de la enorme cabeza, se está inflando de silencio, de las palabras que no ha dicho y se ha tragado, se ha inflado y me mira con odio frío, mortal, mientras me envuelve con su estúpido y siniestro croar y croar y croar, con ese olor a cieno que despide, ese olor a fango putrefacto que me va siendo insoportable aguantar, sus miembros se repliegan, yo sé que se prepara para saltar sobre mí, inflada, croando, moviéndose pesadamente, torpemente..." La mano de Sergio se apodera de unas tijeras y clava, hunde, despedaza... El croar desesperado empieza a ser cada vez más débil como si se fuera sumergiendo en un agua oscura y densa, mientras la sangre mancha el piso del cuarto.

Sergio arroja las tijeras y se limpia las manos con el pañuelo, se contempla todo descompuesto ante el espejo y trata de arreglarse un poco. Se enjuga el sudor y se peina.

Cuando sale a la calle ya ha oscurecido; dobla la esquina y ve el automóvil de Velia y a Velia que lo espera adentro. Antes de reunirse con ella se detiene en un estanquillo; compra cigarrillos y marca un número en el teléfono.

—Sí, soy yo. Ya puedes dormir tranquila, querida mía, esta noche y todas las demás noches, el sapo no volverá jamás a molestarte.

En la sombra
Inés Arredondo

Para Juan García Ponce

Cada vez, un poco antes de que el reloj diera los cuartos, el silencio se profundizaba, todo se ponía tenso y en el ámbito vibrante caían al fin las campanadas. Mientras sonaban había unos segundos de aflojamiento: el tiempo era algo vivo junto a mí, despiadado pero existente, casi una compañía.

En la calle se oían pasos... ahora llegaría... mi carne temblorosa se replegaba en un impulso irracional, avergonzada de sí misma. Desaparecer. El impulso suicida que no podía controlar. Hasta el fondo, en la capa oscura donde no hay pensamientos, en el claustro cenagoso donde la defensa criminal es posible, yo prefería la muerte a la ignominia. La muerte que recibía y que prefería a otra vida en que pudiera respirar sin que eso fuera una culpa, pero que estaría vacía. Los pasos seguían en el mismo lugar... no era más que la lluvia... No, no quería morir, lo que deseaba con todas mis fuerzas era ser, vivir en una mirada ajena, reconocerme.

Los brazos extendidos, las manos inmóviles, y toda mi fealdad presente. La fealdad de la desdeñada.

Ella era hermosa. Él estaba a su lado porque ella era hermosa, y toda su hermosura residía en que él estaba a su lado. Alguna vez también yo había tenido una gran belleza.

Un ruido, un roce, algo que se movía lejos, tal vez en casa de ella, en donde yo estaba ahora sin haberla visto nunca, condenada a presenciar los ritos y el sueño de los dos. Necesitaba que su dicha fuera inigualable, para justificar el sórdido tormento mío.

El roce volvía, más cerca, bajo mi ventana, mi corazón sobresaltado se quedaba quieto. Otra vez la muerte. Y no era más que un papel arrastrado por el viento.

Los que duermen y los que velan están en el seno de una noche distinta para cada uno que ignora a todos. Ni una palabra, ni una sonrisa, nada humano para soportar el encarnizamiento de la propia destrucción. ¿Qué significa injusticia cuando se habita en la locura? Enfermizo, anormal... palabras que no quieren decir nada.

El recuerdo hinca en mí sus dientes venenosos; he sido feliz y desgraciada y hoy todo tiene el mismo significado, sólo sirve para que sienta más atrozmente mi tortura. No es el presente el que está en juego, no, toda mi vida arde ahora en una pira inútil, quemado el recuerdo en esta realidad sin redención, ardido va el futuro hueco. Y la imaginación los cobija a ellos, risueños y en la plenitud de un amor que ya para siempre me es ajeno.

Sin embargo, me rebelo porque sé quién es ella. Ella es... quien sea; el dolor no está allí, no importa quién sea ella y si merezca o no este holocausto en que yo soy la víctima; mi dolor está en él, en el oficiante.

La soledad no es nada, un estéril o fértil estar consigo mismo, lo monstruoso es este habitar en otro y ser lanzado hacia la nada.

Ya no llueve; mi cama, suspendida en el vacío, me aísla del mundo.

Caen una, muchas veces las campanadas. Ya no quisiera más que un poco de reposo, un sueño corto que rompa la continuidad inacabable de este tiempo que ha terminado por detenerse.

Amanecía cuando llegó. Entró y se quedó como sorprendido de verme levantada.

—Hola.

Fue todo lo que se le ocurrió decir. Lo vi fresco, radiante. Me di cuenta de que en cambio yo estaba ajada, completamente vencida en aquella lucha sin contrincante que había sostenido en medio de la noche. Casi quería disculparme cuando dije:

—Tenía miedo de que te hubiera sucedido algo.

—Pues ya ves que estoy divinamente.

Era verdad. Y lo dijo con inocencia. Yo hubiera preferido que el tono de su voz fuera desafiante o desvergonzado; eso iría conmigo, sería un reconocimiento, un ataque, en fin, me daría un lugar y una posición; pero no, él me veía y no me miraba, ni siquiera podía distraerse para darse cuenta de que yo sufría. Estaba ensimismado, mirando en su fondo un punto encantado que lo centraba, le daba sentido al menor de sus gestos y a cuyo rededor giraba armonioso el mundo, un mundo en el que yo no existía.

El amor daba un peso particular a su cuerpo; sus movimientos se redondeaban y caían, perfectos. Esa extraña armonía de la plenitud se manifestaba por igual cuando caminaba y cuando se quedaba quieto. Lo estaba mirando ir y venir por la estancia recogiendo los papeles que necesitaría y metiéndolos en el portafolio. No se apresuró y sin embargo hizo las cosas de una manera justa y rápida. Levantó un brazo y se estiró para recoger algo del tercer estante, entonces vi con claridad que lo que sucedía era que para hacer el movimiento más insignificante ponía en juego todo el cuerpo, por eso alcanzaba más volumen y su ademán parecía más fácil. Pensé en los labriegos que aran y siembran con ese mismo ritmo que los comunica con todo y los hace dueños de la tierra.

—Me tengo que ir rápido porque me espera Vázquez a las nueve. ¿Habrá agua caliente para bañarme?

Cruzó frente a la puerta de la niña sin abrirla. Entró en el baño. Un momento después se asomó con el torso desnudo y me preguntó:

—¿Cómo ha estado?

—Bien.

—Bueno.

Cerró la puerta del baño y un instante después lo oí silbar.

Me daba vergüenza mirarlo. Sus manos, su boca: como si estuviera sorprendiendo las caricias. Pero él hablaba y comía alegremente.

Yo hubiera podido mencionarla y desencadenar así algo, pero no me atrevía a hacerme esa traición. Quería que sin presiones de mi parte él se diera cuenta de mi presencia. Mientras me siguiera viendo como a un objeto era inútil pretender siquiera una discusión, porque mis palabras, fueran las que fueran, cambiarían de significado al llegar a sus oídos o no tendrían ninguno.

—Estás muy callada.

—No he dormido bien.

—Yo no dormí nada, como viste, y sin embargo me siento más animado que nunca.

Su voz onduló en una especie de sollozo henchido de júbilo, como si se le hubiera apretado la garganta al decir aquello. Sentí más que nunca mi cara cenicienta. Tuvo que aspirar aire hasta distender por completo los pulmones y las aletas de su nariz vibraron; estaba emocionado, satisfecho de sus palabras. Dentro de un momento iría a contarle a ella esta pequeña escena. Parecía liberado. La niña, la rutina, yo, todo eso se borró; volvió a quedarse quieto y lleno de luz, mirando hacia adentro el centro imantado de su felicidad. Pasó sobre mí los ojos para que pudiera ver su mirada radiante. Y fue precisamente en esa mirada donde vi que todo aquello era mentira. A él le hubiera gustado que se tratara de una felicidad verdadera y la actuaba con fidelidad; pero seguramente, si no estuviera yo adelante siguiendo con aguda atención todos sus gestos, no hubiera sido la mitad de dichoso. Había algo demoniaco en aquella inocencia aparente que fingía ignorar mi existencia y mi dolor. Pero le gustaba eso sin duda, y sentí, como si la viviera, la complicidad que había entre aquella mujer y él: la crueldad deliberada. Inteligentes inconscientes, pecadores sin pecado, a eso jugaban, como si fuera posible. No pasaban ni por la duda ni por el remordimiento, y por ello creían que el cielo y el infierno eran la misma cosa.

¿De qué me servía saber todo eso?

Se levantó y fue al teléfono, marcó. Semisilbaba nervioso o impaciente.

—Bueno... Sí... No... Ahora salgo para la oficina... Muy bien, hasta luego.

Silbó un poco más fuerte.

—No vendré a comer. Vázquez quiere que sigamos tratando el asunto después de la junta.

No contesté. Sabía que ya no tenía que fingir que creía ninguna disculpa. Todo estaba claro.

Bajé tambaleándome las escaleras; los ojos sin ver, el dolor y el zumbido en la cabeza.

Cuando llegué al dintel de la calle me enfrenté de golpe a la luz y a mi náusea. Parada en un islote que naufragaba, veía pasar a la gente, apresurada, que iba a algo, a alguna parte; pasos que resonaban sobre el pavimento, mentes despejadas, quizá sonrisas flotantes...

Ahora, a esta hora precisa él estará... para qué pensarlo.

Tengo que ir a la farmacia a comprar medicinas... Existe sin embargo una injusticia... yo podría ser esa mujer, esa aventurera, o ese amor. ¿Por qué él no lo sabe? Toda mi vida deseé... Pero él no lo ha comprendido... Y después de la conquista ¿será ella también alguna sin significado, como yo? El sueño de realizarse, de mirarse mirado, de imponer la propia realidad, esa realidad que sin embargo se escapa; todos somos como ciegos persiguiendo un sueño, una intención de ser... ¿Qué piensa sobre sus relaciones con los demás, con esa mujer con la que ahora yace, intentando una vez más la expresión austera, perfecta? Es posible que ahora, en este minuto mismo la haya encontrado... ¿entonces?... Ay, no haber sido ésa, la necesaria, la insustituible...

Un gusano inmolado, no he sido otra cosa; sin secreto ni fuerza, una niña como él me dijo el primer día, jugando al amor, ambicionando la carne, la prostitución, como en este momento; no yo la única, sino una como todas, menos que nadie.

Serían las cuatro de la tarde. El parque tenía un aspecto insólito. Las nubes completamente plateadas en el cielo profundamente azul, y el aire del invierno. No era un día nublado, pero el sol estaba oculto tras unas nubes que resplandecían, y la luz tamizada que salía de ellas ponía en las hojas de los plátanos un destello inclemente y helado. Había un extraño contraste entre el azul profundo y tranquilo del cielo y esta pequeña área bañada de una luz lunar que caía al sesgo sobre el parque dándole dos caras: una normal y la otra falsa, una especie de sombra deslumbrante. Me senté en una banca y miré cómo las ramas, al ser movidas por las ráfagas, presentaban intermitentemente un lado y luego otro de sus hojas a la inquietante luz que las hacía ver como brillantes joyas fantasmales. Parecía que todos estuviéramos fuera del tiempo, bajo el influjo de un maleficio del que nadie, sin embargo, aparentaba percatarse. Los niños y las niñeras seguían ahí, como de costumbre, pero moviéndose sin ruido, sin gritos, y como suspendidos en una actitud o acción que seguiría eternamente.

Sentí que me miraban y con disimulo volví la cabeza hacia donde me pareció que venía el llamado. Los tres pares de ojos bajaron los párpados, pero supe que eran ellos los que me habían estado mirando y continuaban haciéndolo a través de sus párpados entornados: tres pepenadores singulares, una rara mezcla de abandono y refinamiento; esto se hacía más patente en el segundo, segundo en cuanto a la edad, no a la posición que ocupaba en el grupo, porque el grupo se hallaba colocado en diferentes planos en el prado frontero a mi banca.

El segundo estaba indolentemente recargado en un árbol fumando con voluptuosidad explícita y evidentemente proyectada hacia mí como un actor experimentado ante un gran público; en su mano sucia de largas uñas sostenía el cigarrillo con una delicadeza sibarítica, y se lo llevaba a los labios a intervalos medidos, cuidadosos; sus pantalones anchos, cafés, caían sobre los zapatos maltrechos y raspados, y en la pierna que flexionaba hacia atrás apoyándola en el árbol, dejaba ver una canilla rugosa y cenicienta sin calcetines; la camisa que debió ser blanca en otro tiempo se desbordaba en los puños desabrochados dándole amplitud y gracia a las mangas, y un chaleco de magnífico corte, aunque gastado, ponía en evidencia un torso largo, aristocrático; pero todo esto no hacía más que dar marco y valor a la cabeza huesuda y magra, de piel amarillenta, reseca, en la que cuadraban perfectamente la perilla rala de mandarín y los ojos oblicuos y huidizos, sombreados por largas pestañas. Nunca me miró abiertamente.

El mendigo más viejo estaba a unos pasos de él, sentado en cuclillas, escarbando en un saco mugriento, con sus manos grasosas; era gordo y llevaba una cotorina de colores chillantes; sacaba mendrugos e inmundicias del bulto informe y se los llevaba ávidamente a la boca con el cuidado glotón de un jefe de horda bárbara; en algún momento me pareció que tendía hacia mí sus dedos pegajosos con un bocado especial, y me hacía un guiño, como invitándome.

El tercer pepenador, el más joven, estaba perezosamente tirado de costado sobre el pasto, más alejado del sitio en que yo me encontraba que los otros dos; con un codo apoyado contra el suelo, sostenía su cabeza en la palma de la mano, mientras con la otra levantaba sin pudor su camisa a rayas y se rascaba las axilas igual que un mico satisfecho; cuando creyó que ya lo había mirado bastante, levantó hacia mí los ojos y, abriendo bruscamente las piernas, pasó su mano sobre la bragueta del pantalón en un gesto entre amenazante y prometedor, mientras sonreía con sus dientes blancos y perfectos, de una manera desvergonzada.

Desvié la mirada y me estremecí. Me pareció oír un gorgoreo, como una risa burlona y segura que provenía del más joven de los vagabundos. No pude levantarme, seguí ahí, con los ojos bajos, sintiendo sobre mí la condenación de aquellas miradas, de aquellos pensamientos que me tocaban y me contaminaban. No podía, no debía huir; la tentación de la impureza se me revelaba en su forma más baja, y yo la merecía. Ahora no era una víctima, formaba un cuadro completo con los tres pepenadores; era, en todo caso, una presa, lo que se devora y se desprecia, se come con glotonería y se escupe después. Entre ellos y yo, en ese momento eterno, existía la comprensión contaminada y carnal que yo anhelaba. Estaba en el infierno.

Impura y con un dolor nuevo, pude levantarme al fin cuando el sol hizo posible otra vez el movimiento, el tiempo, y ante la mirada despiadada y sabia de los pepenadores caminé lentamente, segu-

ra de que esta experiencia del mal, este acomodar-
me a él como a algo propio y necesario, había cambiado algo en mí, en mi proyección y mi actitud
hacia él, pero que era inútil, porque entre otras cosas, él nunca lo sabría.

Fruta madura de ida
María Luisa Mendoza

"próvida de los miembros despensera..."

Cuando llegaron las frutas acunadas en el canasto como niños a los que hubiera de dárseles un Moisés a cada uno, la tarde era oscura y recogida por la lluvia; esa penumbra hizo que el obsequio fuera más suntuoso aún, pues en las pieles suaves o bruscas, tersas o corrugadas, las gotas se desparramaban abrillantando las texturas, sacándoles espejos, fastuoso el líquido en centímetros depositados en los pozuelos, en las encajaduras, escurriendo en los tallos vírgenes, en las hojas de naranjos, en las ramas de pino, en las mejillas de las manzanas. Parecía una fuente hortelana, un paraíso terrenal inapreciable, inesperado, asombroso; costaba trabajo creer que fueran verdaderas las bolas, los cilindros, los conos, los mil trapecios grises del chirimoyo, la extensión satinada del plátano, la mandarina viajera con puntos negros, el rasposo húmedo mamey franciscano, los racimos de uvas vidriadas como anuncio vitivinícola, los desmesurados dientes careados de las nueces vestidas con suaves cáscaras o garapiñadas de adentro: cerebritos; la broma pesada de los capulines acharolados de laca, ojos de india; los duraznos velludos, nalgonas las peras, los lomos de cocodrilo de las piñas.

Emergió del sueño para encontrarse con la puesta en escena, la ópera china y frutal que la vieja criada sostenía en los brazos con la indiferencia que usó en desgastar los arrullos en esa niña; Enedina, carcomida por años, de pelo ralo, amontonada de experiencias en el rostro paciente florecido de risas sin significado; apenas podía con el peso de la belleza de mimbre y aromas; se diría que tanta redondez eran matrices cortadas, pulpas sexuales, afaladas riquezas para lamerse, comerse mejor: deleites olvidados para sentarse sobre el pasto en grupo joven riendo a bocanadas de alegría bajo la temblona opacidad del árbol como paraguas.

—Mira lo que te trajeron... a saber de quién... allí está el nombre del interfecto que manda las mercedes.

Ella irguió medio cuerpo de la cama y un buche de aguacero adolescente, de cueva, de dintel, de resquicio, la hizo sentir viva; su sangre, aventada por el corazón con la misma tromba de antes, recorrió a gritos su vientre, piernas, brazos, cabeza, y retornó al puño colorado para escapar de nuevo en la condena del circuito inacabable, del ir y venir en manda millones de veces adentro de la piel, entubada por las arterias, hasta que fuese parada en seco el día suyo del juicio suyo final.

—Nana...

—Niña... Ándale, mira qué tejocotes, como los de la casa de tu abuela, qué tamañas toronjas de las que ya no hay ¿te exprimo una? ¿te la parto para que la chupes? ¿o quieres mejor membrillo con sal y chilito?

Entre la verdura y la insolencia de colores recién fregados, arrancó el sobre con la tarjeta adentro del remitente. El cuarto se había iluminado con la entrada de esa espectacularidad, era la cima de muchos arbotantes de la alameda entre los brazos de Enedina; su vejez desaparecía para arribar triunfal la juventud de la trenza gorda colgando a la espalda, los angelicales cachetes chapeteados, los ojotes riosos, apestañados, la blancura de los dientes. Nana y niña en el cerro cortando garambullos de los órganos altos, fresitas negras encajadas en las espinas; chiles rojísimos de las biznagas; las pitahayas redondas de arpillera que al abrirlas son puros fuegos anaranjados, el dulzor; las tunas cárdenas, verdes, que doblaban la nopalera; las flores de la calabaza en guías, guirnaldas; las de Santa María casi nubes, las "cincollagas", estrellas amarillas entre los peñascos; los mezquites que eran ejotes gigantes con inmensos chícharos edulcorados. Echadas en la piedra pelona del picacho, mero arriba de La Bufa, nana y niña comían sus tesoros, le daban mordidotas a las jícamas que la mujer grande al amanecer desenterraba para llevarlas fresquitas y jugosas a la cumbre del paseo y que la mujer chica fuera feliz.

La tarjeta de cartoncillo duro sonaba al pellizcarle la esquina como cartílago, refulgente en la oquedad del anochecer, resaltó el nombre de varón importante, recordador a sus horas de antiguas querellas de amor. Hombre y mujer luchando en el cuarto caliente de sol, horno salado y pegosteoso, hendido de vez en vez por aires de brisas, cintas de yodo y herrajes oxidados. El mar meciéndose azul marino y cortando en dos la ventana de hojas abiertas de par en par: arriba agua oscura de tinta, abajo arena dorada, en la corona la grisura opaca del cielo a mediodía que puja por conservar la mañana y sufre el bochorno de la edad madura. Cuando más agujera el paisaje el alfiler de una lancha que ruge

obscena jalando espuma, o la sábana apañolada del
barco de vela en el verano, los salobres gritos cón-
cavos de gaviotas y extraños pajarracos papadien-
tos; adentro la alcoba es un pecho y dos senos, un
par de vientres jóvenes, los sexos apareados en la
perfección inicial, lúbrica, de vetas olorosas a sóta-
nos limpios, a pozos enlamados, a vasos de barro:
es el gemido de ella en el amor que responde las
preguntas infantiles, las de la azotea, el internado,
los ejercicios de encierro, detrás de los confesiona-
rios en lugar del rezo: "¿cómo será?, ¿dolerá?, ¿se
podrá hablar y respirar?"... Dos piernas y dos piernas; las palabras claves que abren mares rojos para
que los ejércitos trigarantes del 16 de septiembre
los atraviesen. Después fuman y se dicen nimieda-
des; desde cuándo se amaron, a quiénes antes los
besos; tararean canciones fútiles con la invocación
del cuarteto de cuerda, comentan películas, se exa-
minan con la minuciosidad debida, se tocan, se
descubren, están satisfechos, son jóvenes y novedo-
sos. Nuevos. Están contestados.

—Hoy cenaré un racimo de uvas, mañana desayuno cerezas; para la comida sandía, meriendo
nísperos; el lunes mangos, el martes melones, el
miércoles granadas y así, nana, el cuento de nunca
acabar, y cuando se acabe... ¿qué te parece si nos
morimos?

—Al fin que ya ni hay pa'qué vivir, ni paseo ni
feria, ni cruz ni diablo... "vamos al baile y verás qué
bonito..." ¿te acuerdas? ahoy ya ni el pial les tiras a los
señores ¿yo? ¡uy! ¡con qué ganas me echaba al plato
unos cuantos todavía, si tú fuera!, pero en fin, te dejo
el presente, niña, a ver qué piensas. Y diciendo y haciendo coloca atentamente la fruta al pie de la cama.

—Vamos a morirnos ya, nana.

Él se acordó. Supo al fin que fui el principio, que afuera no hay nada, que la fruta es lo único anual uniendo nuestra historia, que su mirada no me es más que pelona desde la pantalla de la televisión, parpadeante si la prendo, muerta como pescado si la apago; que es su triunfo de a mentiras, como el sol de los actos desde los que concede titubeantes entrevistas calcadas iguales, idiotas, luces que ni huelen ni se tientan. Que somos, comprendió, cadáveres con cuerda, pagando separados las mañanas de cocos partidos a la orilla del mar; que éste, al fin, es el fin.

—A darle, nanita, dame lo que más trabajo y coraje te dé; te invito a pelarnos juntas; casquemos las nueces, abre un chico zapote y ahora sí podemos tirar las semillas al aire sin que nadie nos regañe.

Para el arribo al sitio decretado hay que pasar por estaciones irrevocables, el boleto tiene escrito el destino, nadie puede abandonar el tren que te lleva sobre la vía. El amor y el desamor se entrelazan, se luyen; cuando te aventaste a la política con la misma decisión para saltar las olas más altas sabiendo que ibas a poder, yo estuve contigo a tu lado, detrás, sin bostezos en la hartadura, delirante de asoleo en mítines y concentraciones, cocinera multiplicadora de panes el día de la elección. Fui la parte severa y confiable de ti y los demás te creyeron porque yo era la bien escogida. Es imposible contar los durmientes bajo las vías del ferrocarril, vas sobre ellos solamente, acompañada del ritmo y la monotonía; te gastas usando el amor, me usaste; fui desplazada en los apremios de tu vida por glorias futuras, poderes ansiados, mandos y compromisos, la patria bajo la chamarra de cuero, la nación retumbando en el timbre del despertador, la bandera en lo alto en la madrugada del compromiso; todo antes que tú mismo y que yo, naturalmente, mis días calmos de trapos cosidos, papeles escritos, libros y música, mi vida regando las plantas del jardín y bendiciendo a los pájaros y a las arañas, a los perros y las mariposas; la afabilidad de las estancias para hablar, soñar, escuchar; la serpentina del sol apoderándose de los muebles arrinconados, los pasillos en el agasajo; la mesura del pan casero, las servilletas almidonadas, la comida recetada por bisabuelas de rancho y tiempo. El significado perdido en la trifulca de la corneta y el discurso, en los apremios varios de mujeres que hay que satisfacer "porque alguien tiene que hacerlo".

Ser mujer es doble carga, duele la entrega y el desprendimiento dos veces. Común nuestro estar en el matrimonio, simple, normal, acorde y sucinto. Solamente faltaron los hijos, y por eso no puedo hablarte volátil, sutil, porque soy una piedra que pesa y es abandonada. Mis contingencias no tienen mayor importancia que un buen guisado o los cepillos inmaculados sobre el tocador.

Después se ha de vivir el temor. Es como sacarlo de los baúles o darse de buenas a primeras con él bajo la ropa blanca en algún cajón. Un día aparece maligno y poderoso el miedo subiendo con las medias, ensartado en el brasier; o baja en el triángulo de la regadera matinal donde sollozas; al depilarte las cejas. La viejura ensayando el escape del marido detrás de globos inaugurales, caderas móviles, lenguas color de rosa. La amenaza en el cuarto que atardece, en el espejo, allá detrás: la sombra, la amenaza; en el llamado por teléfono de una voz de metal que corta la comunicación al escuchar lo deseado y al hacerlo te hace sentir la presencia de la que posee, es propietaria. Porque mientras tú vives desgastándote en el espejo en la necia fidelidad que procuras ejercer, porque las mujeres de tu sangre así te lo enseñaron siglo y siglo, en castellano, pequeñas burguesas vírgenes y casadas y mártires y monjas, él derrocha las acciones y los verbos que le diste, que le inventaste en la cama y dibujas intolerablemente lúcida e iluminada un rostro desprolijo de mujer, un cuerpo de curva joven, un cabello que se balancea, un ser doblado bajo el peso de tu marido; las manos de él suben, bajan, ya está la pareja, ya es y gritas y golpeas el espejo para que todo se vaya, gritas, gritas...

Es el juego de las equivocaciones. Te silencias adrede, te aflijes ciega, disputas por tontas causas vanas, síntomas del cáncer; fricciones de pagos y deberes, de citas y compromisos; guerra sin cuartel por decidir a qué restaurante ir, a qué país viajar. Tu fantasma de niña. Duermes mal, despiertas helada, tensa, construyes tu propio infierno, la amargura de ser mujer, la carencia de fuerzas para también rozar al paso al hombre ajeno, buscarle la piel, el campo español de surcos sin yerbas, irónico y soledoso, irte detrás de quien te enseña el número de la llave de su cuarto, en el elevador, junto a su gente, perentorio del lobby al piso catorce. Se te volvió imposible subir tu rostro con el cuello de los amarres, buscar la boca del lobo, aquel grito jubiloso dentro del mar: las parejas recién casadas y el intercambio inimaginado, tú, ella, él, entretejiéndose en el cuarteto de la amistad. Decentes para siempre jamás con él, tu marido tuyo, que no te ve desde la ventana de la televisión preguntarte qué vas a hacer sola, cómo seguir viviendo, de qué modo el teatro, el aeropuerto, la cama, su fama, su gloria, la estulticia triunfante de sus mujeres, el tedio dominical. Ya no el desvestirse urgentemente lamidos por la lumbre de la chimenea, ésa de tu cuarto que nadie enciende porque tizna. Tú bajo de él: capullo, mar, cántaro. Soportar la restauración diaria de tu cara iluminándola para ocultar la matrícula de los años. Quitarte la ropa desde el auto, las blancuras en la escalera, la puerta, correr desnuda a las cobijas, tiendas de campaña, al grito compartido, el que emite sobre el sofá de cuero oficinesco y gubernamental con la muchacha secretaria, habilitada periodista, la que escribe del gran Señor... el que promete sembrar la tierra, erigir escuelas, el estadio, el palenque, el toreo atroz de arena redonda. Se retuercen, mastuerzos; tu hombre tuyo y el fantasma joven de carne, sin sol ni idioma ni viento ni la gaviota que se coló esa tarde marina para estrellarse —estrella— en el espejo. El luminoso día se la tragó en el vidrio reflector; la sangre embarrada en la luna; montoncito de blancura y rojo.

—Comeremos todos juntos, matarili; una, dos, las frutas envenenadas con gotas que la inyección penetra, pica, deja; el arsénico de las novelas, nana. El parloteo gangoso, el parpadeo de foco que se enciende y se apaga ya va a dejarnos en paz. Vamos al huerto; así dicen nuestros boletos de ida. Sin vuelta. Nunca la tuvieron.

Como la fruta madura: nos caemos del árbol.

El penúltimo adiós
Tita Valencia

*Jamais! c'est là du moins lui et moi une chose que
nous pouvons partager, c'est "jamais" qu'il a appris de
una bouche dans ce baiser tout a l'heure en qui nous
avons été faits un seul!*
    *Jamais! c'est là du moins une especie d'éternité avec
nous qui peut tout de suite commencer.*
    *Jamais je ne pouvrai plus cesser de'être sans luis et
jamais il ne pouvra plus cesser d'être sans moi.*

PAUL CLAUDEL

Si el señor fuera Barba Azul, yo diría con Villau-
rrutia "¡pobre Barba Azul!" que erró la séptima elección desposando a una mujer sin sombra de
curiosidad. Pero el señor no es Barba Azul. Y aquí
estamos los dos, callados, en el umbral que da a
ninguna parte, yo con mi llave y él —tal vez— con
seis amores secretos balanceándose en la dulce estancia del crimen, mirándonos, mirándonos sin
parpadear, con la certidumbre de que ninguno de
los dos dará jamás el primer paso.

*

¿Por qué no decírtelo? Cuando el dolor, cuando esa
paletada de mineral al rojo blanco que socava y des-
cuaja y vacía la vida de un golpe —golpe inicial
pero sin mengua, continuo, que no cesa, *no cesa,*
¡no cesa! (y uno querría saber si hay otros sólo como
referencia, pero éste es el primero, el único, el in-
temporal, el que precedió rapaz a nuestro nacimien-

to y así sobrevivirá a nuestra muerte), cuando el dolor me tocó con sus delirios escapistas, creí y deseé convertirme yo, yo mujer, en grotesco Barba Azul.

Por distraer al dolor, por vengarlo, por herirme más allá de la herida misma.

*

Un juego de anzuelos de oro, por qué no, de girándulas de espejos para cazar alondras; nupcias heladas en la torre. Entregas de llaves, besos de despedida. Viajes insolados por la tierra yerma y bajo el cielo crudo, abrasándose los ojos en busca de signos, el vientre esponjoso de sed, el corazón esponjoso de odio dejando proliferar las alucinantes variaciones del castigo, la venganza, la tortura. El áspero deleite de verificar en otro nuestra condición falible, nuestro amor abyecto, nuestros muros internos que —en la promiscuidad de las cuarteaduras— alojan cualquier viento, cualquier voz parasitaria, la peste de cualquier sospecha...

*

Eres la gran boca ecuménica, el delta en que convergen, promiscuos, todos los afluentes. Los que tanto repugnaste. Pero qué importa ya. Como aquellos *clochards* amnésicos que han sufrido todos los saqueos, los reales y los vislumbrados en las catalépticas pesadillas del alba... Así, torrentes y arroyuelos vienen a desparramarse en el estuario de tu nombre, pantano y arcoiris, ¡al fin, al fin!, en la súbita beatitud de quien ya no conoce límites con el olvido turbulento y oceánico.

*

Amor: el dolor está iracundo conmigo. Ingenua, le prometí un capital equivalente, por lo menos, al del rey Midas: que todo cuanto yo tocara se convertiría en esos índigos interiores que la piel transparenta y están siempre a punto de reventar en violetas frescas... Pero a la hora de firmar las escrituras lo defraudé: según él, debí advertirle que para sufrir por ti sólo contaba con un cuerpecillo frágil, un alma de suyo maltrecha y un tiempo físico que, aún dilatado a su mayor capacidad vertical, horizontal y radial de cada milésimo de segundo, ni siquiera registraba en su Reloj.

Se fue como el ciego de Gaza, blasfemando su desprecio porque en el canje humano, hasta el de mejor ley sigue calificando en la más baja tasa bursátil. De tumbo en tumbo hizo añicos mi termómetro del amor, el laúd marino que hace ocho años trabajas para mí sin terminarlo, la tortuga de cristal ahumado, y de paso echó por tierra las columnas de Rilke y de Claudel. Cuando lo perdí de vista, iba tomando el infinito por asalto...

Y ahora... Ahora, amor, ¿cómo decirte quién hizo trampa, si yo misma lo ignoro?

Lo cierto es que rebasé mi cuerpo, mi espacio, mi tiempo. Sufro. Sufro en cada partícula cósmica. Escucha: soy el parto de cada célula y el estilete que la revienta por su centro vital; soy la implosión y la explosión de cada átomo desquiciado; voy despedazada en las camillas de todas las ambulancias y sus sirenas ululan tu nombre; soy el aullido centrípeto y centrífugo de las galaxias y mi vientre hinchado de hambre por ti, haría sonreír a los niños de Biafra.

*

Como si el cielo, amor, como si esta turbia pared atmosférica de espasmos imperceptibles pero taladrantes, como si el firmamento del cual mi más lobuno insomnio decembrino apenas alcanza a discernir una estrella, como si el tizne omnipotente y omnipresente que nos rodea, sí, amor, como si todo lo que llamamos espacio y que es más subjetivo ya que visual, táctil, respirable; como si todo el ámbito visible e invisible —algún nombre hemos de darle— no fuera sino una espeluznante cavidad ventral (toda pólipos sensibles, radares fisiológicos) incapaz de alojar la angustia de tu ausencia...

*

Tu ausencia es la única, absoluta, sobrecogedora presencia.

*

¡Dios, de qué sirve camuflar el dolor, disfrazarlo de pasto inglés y de sonrisas, si en el abandono del sueño la voz irracional y masoquista que encerramos en la última estancia acolchada, va a ponerse a aullar inarticuladamente el Nombre, a encender hogueras delatoras, a sacar de un ilusorio sombrero de copa bandadas de palomas mensajeras que dicen al enemigo mortal: "¡Bienvenido seas!"

*

Tu recuerdo es el toque de locura.

Es el torrente que desde nueve cielos convulsos se desploma por la frágil estrechez de mi cañada, estrellas de uranio y soles negros, exasperada conjura de dragones que irrumpen, cauterizando la íntima vegetación de mi garganta herida. Hendida, socavada más allá del lecho de cantos secretos e hilos de agua, antes de ya no ser, grito tu nombre.

*

El llanto es como la música; ambos enmascaran el rostro verdadero de la *música* y del *dolor*. De ese terrible rostro, todo piedad, que debió ser el de San Julián el Hospitalario al cubrir con sus labios los labios blanquecinos del Leproso.

*

Y por ello me abstengo de llorar. Cuando me asalta algún fragmento insoportable de la revelación última que fuiste, con mano de hierro sofoco el menor intento de gemido.

A veces logro observar mi dolor con la estupefacción exenta de rencor con que el niño examina el guijarro anónimo que lo ha descalabrado. A veces lo consumo ávidamente, como una droga. Las más, cicerone implacable de mí misma, muda, sorda, ciega, me obligo a penetrar en sus estancias secretas.

Si tú me vieras, amor, accediendo a descender escalón por escalón, piso por piso, en la espiral que se estrecha paulatinamente hasta alcanzar profundidades donde la piedad no alcanza. Con sabor de patíbulo en la boca. Habitante de cisternas que desconocen los salmos monódicos y la promesa de otro mundo. Y sin embargo, avanzo; avanzo en la negra humedad visceral, sin más brújula que las manos extendidas; porque sólo ellas, con su angustia táctil reptando por los muros, logran discernir en cavidades y prominencias el repetido bajorrelieve de tu rostro.

Y no creas: reencontrarte allí en algo se parece a la dicha.

*

¿Es que marzo va a defraudar su promesa de tormenta? ¿Ese anual rechinar de dientes que es el granizo en el asfalto y en las conciencias que humean, intoxicadas?

Deseo tanto que llueva...

Estoy bloqueada, lo sé. Emplazada en mí misma, agotando la última burbuja de iris artificial.

Necesito que alguien llore por mí. Urgentemente.

Que me sustituya en la barbarie impune de vencer las cruces internas, los puntos de resistencia de esta arquitectura ventral. Que por lo menos me preceda clamando a coro sordo desde los cimientos, desde las piedras angulares que subleva la draga. Que inaugure el desplome de tantos y tantos muros de contención superpuestos...

Amor, amor mío entrañable: cuando se vuelquen, cuando se derramen liberadas, catastróficas como una orgía de cantatas o un aleluya de orgasmos las fluidas reservas del dolor plomizo, yo, infinitesimal, iré incluida.

*

Es también, el dolor, como esos descensos en un cielo abigarrado de nubes, sin punto de referencia entre texturas más o menos grises, más o menos densas, fuera del espacio y del tiempo, en que la nave sin control se va desplomando en una sucesión interminable de bolsas de aire escalonadas; titubea, reinicia un ascenso jadeante, vuelve a caer en otro sumidero de la tramposa pista atmosférica y sólo la esperanza de quién sabe qué radares en quién sabe qué ciudad implícita en el trasfondo de toda pesadilla ayuda a soportar sin volverse loco la vista estéril —más brutal que la ceguera— de esa nada de luz algodonosa que nos rodea.

*

¿Viola d'amore?

¿Fuiste tú quien me habló de esa cuerda que vibra, no al ser tañida, sino por simpatía?

Salgo del foro. A punto de subir la escalera, pienso que el escalón va a aullar de dolor al posar en él mi pie. Miro el pasamanos metálico: va a gritar si me apoyo en él. Los muros de cristal: se van a desplomar en añicos si los rozo. Los sets, las cámaras, el boom, los juglares, los reflectores, los hombres prehistóricos, los miembros de la banda de Dixieland, los instrumentos, todos, vulnerables como membranas... aún ignorantes de que ese dolor concentrado que es mi presencia está a punto de suscitar la anarquía, la herida radical que va desde el fondo a la superficie, la atomización espontánea de todo ese mundo encadenado.

Viola d'amore.

*

Otras veces el dolor me hace el efecto del amor, ¿recuerdas? Que era sucumbir al naufragio, perder poco a poco la noción de hacia dónde resurgir a un aire y un sol vitales pero que ya no se comprenden ni anhelan, y dejarse alucinar por cardúmenes de centellas alargadas, plancton fosforescente, cediendo terreno a la embriaguez cobalto, a la corrosión mineral, a la caricia lasciva de algas solferino y besos que sellan la piel con ácidos de medusa, y no desear sino el abrazo sin retorno en que el océano penetre esos millones de bocas sexuales que ya sangran reventadas, conociendo y asumiendo por fin el júbilo suicida, el irreversible rapto de la profundidad...

*

Si, como dicen, es un error creer que la astronomía estudia los cuerpos celestes cercanos o lejanos, planetas y soles, la huída centrífuga de las galaxias, caudas, estrellas muertas, anillos, hiperiones de estrellas enanas...

Si, como dicen, la astronomía no se consagra a esas contadas concreciones de luz astral infinitamente distantes entre sí, sino al vacío que las separa y envuelve...

Entonces, comprendo y acepto nuestro amor, esa historia de la nada entre encuentro y encuentro, esos viajes fuera del espacio y del tiempo, esa deriva sin fin en las tinieblas flotantes, esa cesación del movimiento y de la dirección del movimiento, ese fracaso de la voluntad, esa insonora música de las esferas, esa lucha ciega contra lo amorfo, esos pasos en el vacío y ese vacío en que dar pasos ya no significa nada y a nada conduce, esa eternidad sombría que cobijó, maternal, los escasos planetas que cosechamos como frutas de octubre; esas edades cósmicas transcurridas en ausencias de espera y esperanza, y las mortalmente taciturnas de ausencia definitiva; ese espacio que en la suma final será nuestra única realidad... nuestra única vendimia... nuestra única constancia...

¿O me equivoco, amor?

Sombra ella misma
Aline Pettersson

Siempre me gustó ir a San Luis, era un cambio de aire, era buscar mi reflejo en las voces y los rostros de mis primos, era olvidar cuadernos y lápices, pero lo más importante, era arrancar de mis oídos el sonido eterno de la mecedora, con la conciencia tranquila. No sé por qué el tren se había detenido tantas veces y la estrechez del compartimento me hizo buscar un sitio fuera, porque me comenzaba a sentir tan oprimida, mientras se nos desplomaba la noche. Tenía ya un buen rato sin hablar, sin hacer nada, el libro que llevaba se me caía de las manos. Eran los momentos en que me iba despojando de lo que quedaba atrás, para dedicarme a soñar como antes, al abandonar aquello tan conocido que de pronto permanecía lejos. Disfrutaba de la soledad del tren, porque me aproximaba un poco a las regiones dormidas de mi conciencia y de mis deseos. Alguien se sentó en el asiento frente al mío, yo miré de reojo el filo de sus botas cafés. El tren avanzaba y se detenía casi por igual, y perdí la sensación de cómoda displicencia, creí sentir su mirada en mí, pero, en verdad, cuando alzaba la cara lo encontraba viendo hacia afuera, viendo cómo la noche borraba al paisaje. Intenté leer, pero las letras bailaban en la página en mi esfuerzo por volcar toda la atención en el libro.

—Vamos a tener muchas horas de retraso —dijo el hombre.

Creo recordar que volví el rostro y le sonreí sin contestar nada, siempre he sido tan torpe para andar por esos caminos que se van trazando y que un paso detrás del otro llevan a los demás sin mucho esfuerzo. También recuerdo que sentí el rubor que me cubría toda la cara.

—¿No le molesta que fume?

—No.

Cerré el libro. Quise ver por la ventanilla, pero ya era tarde para eso, mi rostro se asomó del otro lado del vidrio sustituyendo a la imagen de la vegetación desértica. Me alcanzaba a percibir tan tensa, ignorante de hacia dónde iba a dirigirse la conversación del hombre, de cuánto iba yo a estar dispuesta a escuchar. Entonces pensé en la posibilidad de volverme al compartimento, pero la rechacé. Luego me preguntó que a dónde iba, le dije que iba a San Luis, y él me informó que descendería una parada antes, que estaba construyendo una carretera. Un poco más tranquila quise mirarlo sin que se diera cuenta: pantalón de mezclilla, camisa, pañuelo al cuello, piel tostada por el sol, en su mano grande y firme sostenía un cigarro, por la abertura de la camisa aparecía una mata de vello, más oscuro que su pelo leonado, que sus ojos amarillos. Entonces recordé a mi papá. No, creo que fue bastante después. ¡Que se muera! ¡Que se muera mi padre! Me preguntó dos o tres cosas más y sé que poco a poco me fui soltando, para dejar correr unas cuantas palabras. El tiempo pasaba mientras el tren parecía enraizado sobre sus rieles en esa vasta planicie cercada por la sierra, que yo suponía al fondo, guardando la negrura infinita de la noche.

—Vayamos a cenar —me dijo, y yo, contra todo buen juicio, acepté. Con la mesa de por medio sentía extenderse en mí la fuerza de su mirada, que viajaba por mi piel adormecida. Jamás me hubiera creído capaz de aceptar la invitación de un extraño, aunque la situación del viaje lo disculpara. Me afanaba leyendo los platillos, pero eran tan pocos, que hube de dejar la carta sobre el mantel y buscar en dónde posar mis ojos.

—Qué raro que no la haya visto antes, tengo que viajar en tren muy seguido.

Le expliqué que las visitas a mis primos no eran frecuentes, aunque no le dije que siempre me quedaba en el compartimento, que no tenía costumbre de entablar pláticas con desconocidos.

—Creo que soy un hombre afortunado, mire, llega usted con los planos en la mano, y ve a lo ancho y a lo largo el terreno que lo recibe tranquilo, digamos que inocente, ve la vegetación, los animales, hay muchísimas liebres, mapaches, pero también hay venados y jabalíes. Y luego los aires se nublan de palomas, de chachalacas, mientras que en el suelo las botas y la vista deben protegernos del coralillo y de la nauyaca, claro que de los coralillos hay que tener cuidado, porque a veces sus colores quieren hacernos olvidar su veneno. Pero no importa, la vida se siente entonces con toda su fuerza, porque uno sabe que junto con las ceibas, el palo de rosa, las gabias, todo va a irse de ese sitio, que el hombre lo sabe y la naturaleza lo ignora. Y se siente una sensación parecida, usted perdone, a la de Dios. Todo va a ser alterado, sólo que ellos no lo saben, y camina uno con el teodolito y los mil ojos, midiendo con ese conocimiento. El hombre va a alterar el medio, va a cambiar las leyes del mundo. Traerá el progreso que ni víboras ni aves comprenden. ¿Puede usted entender esa sensación de poder, de belleza? Pero no sé cómo se llama usted.

—Adelina.

Ahora después de tanto tiempo no puedo asegurar que la conversación haya sido así, pero de lo que sí estoy segura es de que me preguntó por mi nombre y me dijo el suyo, Felipe Cataño, y después quiso saber de mí.

—Tengo una florería —le dije—, hago ramos de novia o para aniversario o para cualquier ocasión. Las flores tienen un lenguaje que a veces dice más.

—Una florería, ¡qué bonito!

No quise seguir hablando de eso, me sentía más insegura o más nerviosa. Después pensé que los cimientos que se construyen sobre una mentira acaban por derrumbarse pronto. Pero son las palabras engañosas que imponen su peso sobre el otro, el de la verdad.

—Tal vez algún día pueda visitarnos y verá que no le miento, que esa sensación de estar cambiando al mundo es real. Fueron las palomas las que emigraron primero, con la llegada de los bulldozers.

Podía haberlo escuchado por horas, que me fuera contando todo, absolutamente todo, pero había gente esperando mesa.

—Un brandy para mí, ¿usted qué toma?

—¿Un anís?

Las copas acabaron por vaciarse. Dejamos el salón comedor hasta llegar a mi compartimento.

—Buenas noches —me dijo.

—Buenas noches y gracias.

Entré, cerré la puerta con el pestillo, como en cada viaje. Pero claro que no me sentía como en cada viaje; estuve un buen rato repasando nuestra plática, mientras él removía árboles, tierra, montañas, yo arreglaba flores. Hubo momentos que yo misma lo creí, ¿cómo decirle que mi mundo eran lápices y cuadernos? Apagué la luz y me acosté, el libro quedó a un lado. Cerré los ojos, tal como ahora. El tiempo se estacionó como el tren, perfectamente inmóvil. En el compartimento de al lado un hombre cantaba suavemente, acompañado de una guitarra. Creí oír un tenue toque en la puerta, pero no estuve muy segura de ello, al cabo de unos instantes se repitió.

Con los ojos cerrados se pueden fabricar las historias, los lugares, las personas tantas veces, se pueden acomodar y reacomodar, se pueden hacer mil combinaciones, como en un monumental ramo de flores, de aquellos que yo dije que fabricaba. Hoy, con los ojos cerrados, busco sitio a mis recuerdos para ensartarlos en una trama tan fina como el delgadísimo encaje de la abuela, fijarlos eternamente detrás de mis párpados, mientras pueda.

Me levanté de la cama y con la puerta apenas entornada arriesgué un vistazo. Pero la puerta se abrió, no con brusquedad, pero sí con firmeza, las botas cafés de Felipe Cataño avanzaron; en un segundo la puerta volvió a cerrarse. Sus brazos se unieron alrededor de mi cuerpo, con tal velocidad que no me había permitido aún percatarme de cómo mis pies perdían fondo. Felipe pasó la mano por mi pelo suelto.

—No, Adelina, por favor no te asustes, no digas nada. Cálmate. Para los dos ha sido una enorme sorpresa. Déjame que te explique.

Pero Felipe no intentaba explicar nada, mientras volvió a abrazarme fuertemente. A veces en verdad la vida puede deparar grandes sorpresas y no digo las externas: un cataclismo, el premio de la lotería. Las mayores sorpresas se descubren en el fondo de uno mismo, en el fondo de esas grutas insondables que se ignora que existen por debajo de la piel, por debajo del alma. La incandescente lava que abre boquetes para expulsar su fuego. Ese ciego impulso tan enloquecido. No, no grité, no me moví, no hice absolutamente nada, mientras la boca de Felipe, hecha susurro, hecha beso, tocaba el laberinto de mis orejas, mi cuello, mis labios. ¿Cómo podía gritar si yo para mí era una desconocida que en esos instantes estaba naciendo? Y no es que antes no me hubiera sentido atraída por alguien más, pero nunca pasaron las cosas más allá de miradas, de palabras imaginadas, que jamás abandonaron el encierro de la boca, de caricias que inquietaban la piel sin jamás tocarla. Pero, ¿cómo saber que se podía sentir de esa manera? Que el cuerpo poco a poco despertaba con la ansiedad de los besos. Es difícil hablar, porque mi conciencia se iba diluyendo a medida que yo brotaba, que surgía esa parte gigantesca que me habitaba sin haberlo sabido antes.

Con la misma decisión con la que antes abrió Felipe la puerta, me despojó del tímido camisón que me cubría y quedé tan desnuda, cubierta únicamente por sus labios, por sus manos, mientras me iba inflamando de un deseo desconocido. No sé cómo, pero en esos momentos no pensé jamás en términos de desnudez prohibida, era ir descubriendo las regiones dormidas, al tiempo que sus manos grandes y ásperas, su boca húmeda, su lengua, me buscaban por esos sitios casi ahogados por el recato. En verdad no pude gritar o negarme o salir huyendo cuando la fiebre que me colmaba pedía a gritos más. En un momento se desanudó las botas, que pronto hizo a un lado, sus manos temblorosas desabotonaban la camisa, tan torpemente, que intenté ayudarle, sin gran éxito, porque me quedé con un botón de concha entre los dedos. En ese instante, sorprendida por mi ineptitud, recapturados los sentidos cotidianos, escuché el canto del hombre del compartimento de junto, "Vida, si tuviera cuatro vidas, cuatro vidas serían para ti." Luego no supe si era la voz de ese hombre o la de Felipe que la repetía en mi oído, mientras me abrazaba, mientras me penetraba en el dolor gozoso del descubrimiento. Después cerré los ojos, fatigada o embriagada, no lo sé. Pegué mi cuerpo al suyo y quise morirme. Volvió a pasar tantas veces su mano por mi pelo enmarañado, me dijo que iría a mi casa a buscarme. Iba a haber una fiesta pronto y él prometió estar allí, "aunque me siento raro de traje", me dijo. Con los ojos cerrados en esa lasitud como de muerte, alcancé a escuchar "Me gustas mucho, Adelina." No recuerdo más, sólo que sentía la presión de su cuerpo en el mío y no me moví, como si sostuviera la vida en los brazos. Pasó todo el tiempo, todo el tiempo del mundo, la luz se filtraba a través de las rendijas de la ventana, el ruido empezó a colarse por debajo de la puerta. Abrí los ojos con desgano, mientras estiraba el brazo para alcanzar un roce de su piel tostada, pero mi mano volvió vacía y mis ojos se cercioraron de mi soledad. Me vestí apurada, supuse que estaría en su asiento. Abrí la puerta, alguien pasaba por el corredor anunciando la parada de San Luis.

—Óigame —lo llamé—, busco a un hombre de botas y pantalón de mezclilla que estaba allí sentado.

—Sí, ya sé quién dice, se bajó en la parada anterior.

Guardé apresuradamente mis cosas, en el suelo brillaba la blancura tornasolada del botón, que en el acto recogí, como un recordatorio de que la noche no había sido un sueño. Era la presencia de la realidad en el sueño y alguien me robó esa presencia. No guardo ya objeto que lo atestigüe. La vista puede ser tan veloz, mis ojos cayeron luego sobre la sábana, donde tres manchas rojas, como tres deseos, se destacaban; la arranqué de la cama, la hice un rollo, con esfuerzo levanté la ventanilla y la lancé a la nada.

Nina
Beatriz Espejo

La señora Nina sueña todas las noches. Le sorprende porque antes nunca soñaba. Se levantaba lozana y fresca por las mañanas, dispuesta a emprender sus rutinas cotidianas sin mayores problemas. Era una ama de casa excelente disponiendo lo necesario para mantener impecable la ropa de cama, el orden de la despensa, la limpieza del refrigerador; además tenía fama de buena anfitriona y le gustaba conservarla probando platillos cuyas recetas aprendía en sus cursos de alta cocina o sacaba de revistas que también proporcionan consejos que prometen prolongar la juventud; pero ahora sueña sueños donde recorre laberintos sin reposo, de un lado a otro, reconociendo situaciones vividas, personas en las cuales ha pensado casualmente durante el día y reconstruyen sus delirios afiebrados. Se acurruca. Junta imágenes que ocupan su mente como si fuera cinta cinematográfica donde las cosas cobran sentido; pero no consigue ninguna unidad. Lo peor es que al despertar recuerda con gran precisión escenas tijereteadas y al abrir los ojos, creyendo que el trastorno terminó, muchas veces se alegra de que sea de madrugada, aún demasiado temprano para dejar la cama porque la oscuridad está aún en los muebles de su cuarto, posesionada de la chimenea, sentada en el sillón de orejas igual a un manto negro sobre los muebles y objetos de contornos abultados y difusos. Las ventanas del dormitorio permanecen selladas por cortinas espesas y no dejan ver las verdes ramas del jardín, las revistas de modas nupciales arrojadas sobre el suelo; ni siquiera el montón de cremas y frascos con lociones hidratantes que la señora Nina usó antes de acostarse y permanecen en la mesa de noche junto a pañuelos desechables arrugados. Entonces siente una atmósfera cargada, olores indefinibles, el humor denso desprendido de dos cuerpos inertes en ambos extremos de la ancha cama matrimonial donde su marido respira profunda y acompasadamente, confortable en su piyama de algodón rayado, aunque de vez en cuando su estómago emita ruidos raros como ametralladora a la que se le va acabando la fuerza, ruidos cuyo olor queda bajo las cobijas. Ella no desea oírlos y casi no los oye, volteada hacia el lado opuesto. Así han dormido desde hace varios años. Ahueca las almohadas, jala hacia sí el edredón de plumas, extiende el embozo de encajes de la sábana y vuelve a soñar las cosas que ha vivido. El sueño le reporta un doloroso placer. Reconoce a los hombres que amó en la adolescencia, a los que pudo amar ya estando casada. Estuvieron en alguna de las muchas clases que ha tomado, en el supermercado; durante un recorrido de crucero por las costas de Baja California embarcada en rascacielos meciéndose sobre la inmensidad marina. Ve a los enamorados que tuvo, las disyuntivas que se le presentaron durante el camino hacia aquí, a esta estabilidad perfecta que la hizo feliz y en la cual se empeñó cerrando los ojos a cuanto no quería ver, la indiferencia de Ignacio, la paulatina desaparición de unos contactos sexuales poco ardientes desde el principio.

Ella, amiga de la gimnasia diaria hoy descuidada, de los deberes olvidados, sueña. Durante el sueño, a pesar de sentirse hostigada por la duda de haberse equivocado en casi todo, tranquiliza la honda tristeza que doblega su voluntad al tomar decisiones. Pasa largos ratos escogiendo una blusa adecuada al clima o ante un menú que probablemente sólo ella y el servicio comerán. Por su desgano le duelen las coyunturas de muñecas y tobillos, le cuesta trabajo incorporarse y tarda varios minutos en funcionar como si fuera una especie de robot recorriendo sin el menor contento las tediosas horas de la existencia. Y se le vienen encima una serie de problemas por resolver, y nunca atina dónde empezar. No ha visitado boutiques. Ni siquiera se ha puesto de acuerdo con su hija a la que apenas ve pues pasa el día entero en la Universidad o con el novio. Jamás se atreve a decirle que termine la carrera, tome las cosas con calma y no se case todavía, aunque su padre la haya convencido de que encontró su mejor alternativa; pero entre ella y su hija, que en la infancia la consultaba para cualquier tontería como el color de sus patines o el papel para forrar sus libros escolares, se abrió la famosa brecha generacional y cuando trata de acercarse la inmoviliza una frialdad, advertencia sin palabras de no hacer un movimiento más, quedarse como testigo obsecuente cuyas opiniones son indignas de tomarse en cuenta. Nina se cree aislada en un mundo viejo cuyos demás protagonistas han salido de escena uno a uno. Quizás por ello se siente mutilada al enterarse de que alguien conocido muere o cambia ciudad.

La señora Nina quiere llorar a gritos y sin motivo alguno fuera de lo normal; luego se contiene y

se convence a sí misma de que sólo una loca desaprovecharía la estabilidad en torno suyo. Y pide
perdón a los dioses por ser inconforme, alentar un
presentimiento que la ahoga, le exprime el corazón
como si fuera naranja seca. Se le figura un enemigo
amarillo, con una media cubriéndole señas de identidad, recargado sobre su hombro; sin embargo se
guarda esas sensaciones y evita confiarse a nadie,
prefiere que sus íntimos sigan creyéndola afortunada y feliz.

Al ginecólogo le explicó algunas cosas y él juzgó oportuno mandarle dosis más altas de hormonas y recomendarle con la mirada severa de sus ojos
saltones tras gruesos espejuelos que se ejercitara,
aunque era obvio que le importaba un soberano
comino cualquier rutina deportiva según lo demostraba su barriga. Reventaba los botones de la bata
donde podía leerse su nombre bordado en letras
azul marino; pero esa tarde la señora Nina se despidió animada y no le dolió extender el cheque pagando la consulta y el análisis de la pequeña muestra
extraída de su vagina, y dejó la clínica, —llena de
mármoles y murales que pretendían emular en versión moderna una lección de anatomía pintada por
Rembrandt—, agradecida porque sus sueños recurrentes no presagiaran una muerte próxima pues
no tenía cáncer escondido en alguna parte de su
organismo ni nada por el estilo. Y estuvo la tarde
completa más alegre.

Y no es que el desanimo la venza por costumbre. Ha sabido luchar en muchos frentes, distinguiéndose como una esposa considerada de la
economía doméstica, atenta a evitar demasiados
focos prendidos en habitaciones vacías, preocupa

da porque nadie malgaste sin ton ni son el papel del baño o que sus criadas desaprovechen la comida rezagada tirándola a la basura porque no les cuesta un centavo. Aparte la señora Nina ha tratado de cultivarse. Guarda una serie de diplomas expedidos por varias instituciones donde trabó amistad con mujeres que comparten sus intereses y con las que acude a restoranes de moda ubicados en la colonia Condesa. Con sus paladares educados saben dónde comer mejor. Se recomiendan entre sí direcciones, y aunque nunca lo expresan verbalmente, se arreglan con una meticulosidad que ya no acostumbran para salir con sus esposos. Hacen reservaciones telefónicas, piden mesas con manteles a cuadros bajo toldos azules colocadas en las banquetas. Encima, dejan abiertas sus bolsas de Prada desafiando la inseguridad de una ciudad donde los ladrones podrían arrebatarlas en segundos; pero dejar sus bolsas así esconde una ostentación, ese mínimo detalle demuestra que se sienten protegidas en cualquier momento, confiadas gracias a los guaruras particulares que las rodean. Encienden cigarros extraídos de cajetillas doradas y evidencian unas uñas brillantes con barnices Chanel de ciento noventa pesos la diminuta botella. Les complacen los reflejos escogidos conforme al resto de su arreglo personal, mientras cuentan verdades a medias y comentan las últimas películas exhibidas en los centros comerciales de Santa Fe o Bosques de Duraznos y no saben qué opinar sobre los avances del cine mexicano. A sus respectivos cónyuges les parecerían muy mandados o aburridos y jamás sugerirían esa programación a la hora de escoger espectáculos familiares, por eso ellas están convencidas de que saldrían de la sala discutiendo rumbo al estacionamiento. Las reuniones femeninas son una especie de tregua. Les permiten presumir, frente a quienes los aprecian, sus trajes de Adolfo Domínguez —los españoles invaden el mercado— y sus cinturones Moschino que por supuesto no compraron con un dinero ganado por su propio esfuerzo. En su vida podrían comprarlos salvo descontándolos de su mesada. No trabajan sino en casa y ese es un trabajo que nadie advierte sino cuando nadie lo hace. Nunca estuvieron preparadas para las eventualidades apartadas de su mundo. Son fieles a la profesión doméstica que escogieron desde la juventud y que sus hijas y nueras desdeñan. Sin embargo disfrutan el cielo azul de México, los jirones de sol filtrados bajo el toldo, las jacarandas en plena posesión de su hermosura, las florecillas moradas caídas sobre las aceras como un portento esperado, un mediodía caluroso del mes de mayo, mes de las novias en que las sacristías tienen reservados todos sus fines de semana durante el corto verano que acaba apenas se desprenden las lluvias torrenciales. Y las amigas después de revisar la carta llena de sugerencias ordenan lo habitual, una entrada de salmón y una copa de vino blanco cuidando su dieta de pocas calorías.

A la señora Nina toda esa especie de tímida libertad, llegada a sus congéneres con cincuenta años de retraso, le permitió incluso bautizar a sus dos pinchers color miel. La hembra se llama Agripina, no por la madre de Nerón. En honor a Juan Rulfo y su famosa frase de "Luvina". ¿En qué país estamos, Agripina?; el macho se llama Chéjov porque al nacer tenía ojos pequeños y escudriñadores que se quedaban fijos sobre la gente mientras inclinaba su pequeña cabeza de orejas largas a la manera de quién interroga, y alrededor de su hocico pelillos largos que recordaban la barba de candado usada por el cuentista. Y en uno de sus viajes a Nueva York la señora Nina encontró en su tienda favorita de mascotas una correa estrafalaria, una pajarita con cuello blanco y moñito negro de plástico como para asistir a tés que congregaran terratenientes rusos llenos de deudas y preocupaciones mercantiles sin importancia, tras los cuales se escondían problemas existenciales imposibles de resolver.

Pero el malestar no se evapora sólo por no hallarse a las puertas de la muerte. Nina se angustia, parece que el corazón le estalla y le tiemblan las piernas como si algo muy desagradable estuviera a punto de ocurrirle; sin embargo procura calmarse. Culpa a su propia madre que la enseñó a ser tan aprensiva, cerrar las puertas con varias cerraduras, prever cualquier eventualidad como si de tal modo lograra engañar las volteretas de la suerte. Su madre cercana a la locura no supo aceptar los cambios surgidos por la modernidad, no entendió cómo se desplomó, al momento de firmar un negocio, un hombre joven y apuesto con la mano sobre el corazón quizás para mitigar el dolor del infarto. Su madre que después de eso ha permanecido cuarenta años de viudez dolorosa e inútil, metida en su laberinto de historias apolilladas, su madre convencida de que en cualquier momento la rueda del destino pega un brinco y ¡Zas! Deja caer desde lo alto el fardo de la desgracia. ¿Las monjas nombraban a eso el santo temor de Dios? La señora Nina lo intuye. En cambio sabe que con su madre jamás tendrá una conversación profunda, ni podrá confiarle preocupaciones o temores porque se niega a escucharla. Así omitió prepararla para los sucesos inevitables de la vida, a su debido tiempo no le dijo que le vendría la regla y la dejó horrorizarse ante la primera hemorragia; ni la aconsejó a la hora de escoger pretendiente, ni la enseñó cómo bañar a su hija. Se mantuvo al margen lavándose las manos como Pilatos, ajena a todo lo que no fuera su infortunio. Cada vez que la señora Nina intenta abrirle sus confidencias, la interrumpe o parece interesarse segundos; apenas guarda un silencio imperceptible y responde frases que no vienen a cuento, alejadas del tema abordado, fiel a su propia desgracia de la que nadie ha podido sacarla, que no abandona y a la cual se aferra con los diez dedos de sus manos. Recuerda para no morir como si en el hecho de recordar se mantuviera confortable, ciega y muda a lo que ocurre alrededor, inmóvil en su pasado, hecha una estatua de sal sobre la que se marcan arrugas como mapas delicados, huellas de los años transcurridos. Mamá, vine buscando tu ayuda. Aunque no estoy enferma, creo que moriré pronto. Algo me ocurrirá, un peligro, una sorpresa espantosa y no puedo comprenderla. Su madre, que había sido una mujer hermosa en la que quedaban rasgos nobles, interrumpe la conversación incesante reconstruyendo anécdotas, remontándose a las épocas de su niñez y primera juventud. Está a punto de oír esa confesión y al cabo de un instante regresa al relato de una hermana mayor, la mayor de sus siete hermanos, cuyo marido murió sesenta años atrás atropellado por un tranvía. Por eso la señora Nina busca el compañerismo de otras mujeres, aunque en el fondo nunca se atreva a revelarles su verdadera intimidad, su intimidad más recóndita.

¿Pero por qué diablos si las cosas suceden tranquilas, se preocupa tanto? Sus miedos son figuraciones que combate hasta con remedios absurdos. Incluso baja y bebe varios tequilas espiando a sus sirvientas para que luego no lo comenten a sus espaldas diciendo que está volviéndose alcohólica y que se emborracha a escondidas; pero se dan cuenta. Hallan sobre los muebles copas y botellas vacías. Entonces la señora Nina se esfuerza por regresar a sus rutinas. En el club le confió su angustia, aunque no la veía desde hacía mucho, a una antigua compañera de ronda en aquellos días dichosos cuando las mamás se turnaban para llevar niños al colegio. Sentadas en unas bancas de lámina puestas entre los casilleros, su interlocutora la escuchó apretando sus ojos azules como para concentrarse mejor y mostrarle solidaridad, aunque quizás por impaciencia se pasaba la mano sobre el cabello gris cortado casi al rape. Divorciada de un infiel, había olvidado la coquetería de otras señoras y se entregaba al nuevo papel de abuela entusiasta muy de acuerdo con su carácter calmado y con una bondad ejercida dulcemente. La respuesta era leer el *Libro de los milagros* y escuchar pláticas impartidas los jueves por el rumbo de las Lomas. Se comprometieron a no faltar cada semana. Ahí se hallaba el remedio, leer un milagrito diario y confiar sin desmayo.

La señora Nina imaginaba que recuperaría la oportunidad de desarrollar otros talentos fuera de los estrictamente caseros, la especialidad que había elegido demasiado pronto. Se comprometió con el certificado de bachillerato recién expedido, único requisito que su madre puso para darle permiso. Ignacio acababa de terminar la carrera de abogado. Entonces lanzaba chispas por la mirada, contaba buenos chistes, se recibió con honores y había abierto un despacho junto con su mejor compañero, un muchacho moreno, guapo con su pelo negro y rizado, hijo modelo que a pesar de las suposiciones unánimes permaneció como un partido codiciado e inalcanzable hasta que corrió la voz de que era soltero convencido. Salía dos o tres meses con chicas distintas y ahí quedaban los idilios.

Los flamantes licenciados en derecho rentaron despacho en un imponente edificio de Reforma, frente a la estatua de Cristóbal Colón. El aplomo de echarse ese compromiso auguraba futuros clientes y éxito económico. Carlos e Ignacio formaron buena mancuerna, no necesitaban demasiadas explicaciones para ponerse de acuerdo y ganar los casos que les ofrecían, incluso contrataron a varios pasantes. Las predicciones de prosperidad fueron atinadas. Ignacio y la señora Nina disfrutaban de una gran casa, un chofer que le miraba las piernas al abrirle la puerta antes de abordar el automóvil y era además lo suficiente atrevido para preguntarle, cuando fue a su revisión médica, si había cambiado perfume porque todo el coche olía a jazmines. Ella disimulaba tales impertinencias, le daba las gracias con cierta timidez volteada hacia la ventanilla contemplando el panorama lleno de pujantes condominios en construcción que de la nada se levantaban por todas partes, mientras le pedía conectar la casetera de discos compactos para oír "Los amorosos" de Jaime Sabines. Y lo miraba a su vez reflejando sus facciones morenas y no mal parecidas en el espejo retrovisor, creyéndose un don Juan de quinto patio al que la suerte había tratado mal, gracias a determinadas circunstancias que nadie se había esforzado por averiguar. En su propia opinión el chofer merecía al menos alguna correspondencia, algún interés de la patrona que usaba tan buenas alhajas, y que no estaba contenta dentro de su cuerpo. Se notaba a leguas. La verdad no parecía serena ni satisfecha. La más pequeña equivocación la sacaba de quicio. Lo había amenazado con despedirlo un par de veces sólo porque no revisó los niveles de aceite hasta que el tablero indicó señales de alarma y porque dijo que le molestaba limpiar dos veces semanales el garaje. Y a una de las recamareras la señora le había pedido a gritos que no pusiera cara de mártir ni suspirara al recibir pequeñas órdenes, el trabajo se repartía equitativamente entre las sirvientas. En cambio, el licenciado lo ocupaba sólo en casos urgentes. Se dejaba ver poco. Salía temprano y regresaba a horas muy distintas. Gozaba su éxito estrenando corbatas, encantado, más encantado de lo normal considerando que se trataba de una joven bonita, porque su única hija estuviera a punto de casarse. Con una actividad imparable tiraba la casa por la ventana visitando y pidiendo presupuestos en dos o tres lugares, deseaba ofrecer un banquete extremadamente refinado. Se decidió por el Club de Banqueros para que todo se realizara en el Centro Histórico. Ya había seleccionado la lista de licores en los que no escatimaría marcas ni cosechas. Apartó y pagó la iglesia de la Profesa estipulando detalles concernientes a los arreglos florales, el alumbrado, el tapete rojo tendido hasta ambas entradas en las calles de Madero y de Isabel la Católica; la música de órgano, su selección preferida donde entraba la tocata y fuga en re menor de Juan Sebastián Bach, admirable por su impacto, lo sublime de su inspiración y armonía. Él mismo fijó la hora de la ceremonia, redactó las invitaciones, habló con los impresores, eligió el tamaño del pastel coronado por campanas al vuelo, revisó la lista de invitados congregando a todos sus clientes, familiares y conocidos. Redactó los términos del contrato matrimonial que por supuesto estipulaba separación de bienes. Para tales detalles sólo consultó a Carlos que tenía tan buen gusto, como lo demostraban los cambios recientes de una decoración minimalista en el despacho. Ignacio hizo sus complicados arreglos sin tomar opiniones a los futuros desposados y menos a la señora Nina que cuando eligió su propio vestido nupcial, en lugar de llegar como una reina tal cual se hubiera esperado conforme su posición de muchacha rica, pidió ideas a su madre siempre perdida en el espacio, y se disfrazó de angelito pueblerino con un traje de gasa mal cortado, que se le escurría de la cintura pues adelgazó varios kilos durante las semanas anteriores a la boda, y se adornaba con plumas de avestruz esparcidas al caminar como hielo seco. Se salvó de ser una facha porque entonces Nina era fresca, linda con su melena negra y su cutis blanco porcelana, y conmovedora por los nervios causados ante su falta de experiencia.

Y además a la hija le importan poco las parafernalias prematrimoniales. Si por ella fuera se hubiera ido de la casa con una mochila al hombro y regresado ondeando un acta únicamente para cumplir requisitos indispensables; pero respetaba los convencionalismos de su padre, su voluntad expresa de cumplir obligaciones hasta el fin, así lo comenta en ese, el único desayuno que a últimas fechas hacen juntos. ¿Hasta el final? pregunta la señora Nina con la taza de café en alto, alzando la vista y despreocupándose de que los individuales de lino estuvieran bien planchados. ¿Qué quieres decir, si el matrimonio es apenas un principio? La hija deja de mover su tazón de cereales con leche en el que habían rodajas de plátano y pedazos de manzana, se coloca una de sus mechas rubias alrededor de la oreja derecha y se dispone a oír declaraciones; pero Ignacio la evade acomodándose el saco ligeramente apretado, como si le quedara una talla más chica. Nota que a pesar de cremas y cuidados a su mujer le brotan suavemente mapas sobre las mejillas, e imitando a su suegra aborda otro asunto que hasta entonces nadie mencionaba no obstante su importancia: el atuendo de la novia. Era lo único de lo cual todavía nadie se había ocupado a pesar de que el día treinta y uno fijado para la boda se les venía encima, y ninguna de estas mujeres tomaba providencias al respecto. Debía ser un traje imponente, sin escatimar costos. Escogerlo en un gran almacén o en una tienda especializada para que la hechura no llevara tiempo y los arreglos fueran rápidos. Se le figuraba, y esto lo pensó sin expresarlo en su timbrada voz de barítono, que con sus cabellos de lino y su vestido vaporoso la niña parecería un esbelto árbolito en primavera prometiendo grandes alegrías. Quizá deberían escoger una corona de magnolias, pistilos amarillos a juego con el ramo. ¿O eran dos los que ahora se usaban?, ¿uno para dejarlo al pie del altar y otro para la recepción? Hoy día a nadie importa el blanco impoluto del vestido cuando las parejas salen del país juntas y andan solas por cualquier lado. A lo mejor valdría la pena que Carlos, quien la quería como la hija que no tuvo, tomara cartas en el asunto pues gracias a sus relaciones y a su apellido asistía a las mejores fiestas y demostraba un tino exquisito a la hora de elegir, un gusto que traía desde la cuna. Imposible negárselo, es el hombre perfecto. E Ignacio muestra convencimiento porque rejuvenece, se enciende de alegría como si descubriera secretos.

La señora Nina decide no seguir soñando. Un relámpago ilumina su memoria, recuerda que en los últimos meses pretextando viajes su marido se ha llevado maletas que nunca vuelven. El pecho le palpita como si acabara de subir una escalera empinada. Mira a Ignacio de frente y le pide a su hija que los deje solos. Su resolución es tan imprevista que la muchacha obedece enseguida. Cierra la puerta al salir. ¡Explícate!, pide Nina y esa única palabra contiene su rabia acumulada. Carlos y yo pensamos vivir juntos apenas pase este mitote, le responde. Ya hemos esperado demasiado. ¿A poco no te habías dado cuenta? Se necesita estar en la luna; pero, bueno, pienso en tu madre y te aseguro que heredas lo despistada.

Otra víctima
María Luisa Puga

Te empeñaste en creer que el pánico era lo feo, no el peligro. También en creer que la calma, no la paz, era lo deseable. ¿Y a dónde has venido a parar? Al punto de donde partiste: creer que esas cosas te las iba resolver la pareja. En esa dirección miraste toda tu vida y ésas fueron las recriminaciones que con tanto cuidado construiste. Ahí se te fueron las energías, mujer, si no todas, una buena parte. Una parte importante que tendría que haber sido destinada a otras cosas, no sabes a qué, pero sí sabes que a otras cosas. A más risas o viajes o hijos o, no sabes ni siquiera imaginar.

¿Es demasiado tarde? ¿Quién te lo puede decir? Sólo tú, porque eres tú la que se tiene que arriesgar.

¿Cómo?

Imaginando un cambio de actitud, o más bien, una actitud que no sea la que siempre ha sido.

Y es que NADIE SE QUIERE APROVECHAR DE TI, y aun si quisieran, no te dejarías. Estarías alerta. Imagina: con una actitud distinta no habrías temido el daño en lugar de haberte pasado la vida temiéndole al miedo del daño.

NADIE IMPIDE TU ARMONÍA, porque si te hubieras decidido a creerlo, ya habrías aprendido a edificar tu paz, en lugar de andar buscando calma para pensar en tu paz.

Pero esas cosas ¿cómo las puede saber una cuando comienza?, te preguntas.

De la misma manera que sabes las otras, las que escogiste. ¿No era cierto que escoger producía siempre un escalofrío? Sabías que al escoger dejabas ir. Ahora es igual: creer que te equivocaste; no creer. Es igual. Lo único que se puede hacer es saber que ahora es el momento de aceptar que todo lo anterior es cierto, aunque no haya sido lo mejor. Aceptar que a ti nadie te engañó, te engañaste tú, mujer. Ser víctima nunca es suficiente, hay que saberse victimaria también y aceptar que uno acierta y se equivoca.

Por favor, cárguelo a mi cuenta
Yolanda Sierra

Finalmente tuvo la verdad ante sus ojos: la nueva mujer era vieja, chaparra y gorda, pero él así la quiso y se casó con ella. Las fotos aparecieron en todos los periódicos matutinos.

¡No debo llorar!, ¡no debo llorar! Se repetía una y mil veces mentalmente mientras apachurraba un chile poblano y revolvía las papas blancas midiendo su tamaño, o apretaba la lechuga orejona palpando las hojas bastante maltratadas igual que ella. Presurosa empujó el carrito del supermercado sintiéndose derretir por dentro. Podría haberse puesto a gritar, sin importarle la más mínima compostura, desde el momento mismo en que empezó a jalonear los carritos, ayudada por el niño-cerillo de la entrada... Tenía un grito ahogado entre la garganta y el duodeno y si lo lanzaba ahí mismo, las empleadas le preguntarían si estaba solicitando informes; y las amas de casa de clase media y alta que pululan siempre a esas horas de la mañana le dirigirían miradas impasibles acostumbradas a todo.

Resultaba irónico: sus mejores amigos se lo dijeron, ella misma se lo decía, y aún así no captaba el mensaje. Él se casó con Clara Aurelia ayer. Y hoy, ella, la ex, tenía que hacer la compra rutinaria.

—¿Pero por qué razón me mantuve atada a un hombre que se ha casado con otra en mis narices?

¿Acaso no me había enterado por las crónicas, que se llevó a cabo una boda mil veces mejor que la que tuvo conmigo? ¡Diez mil veces mejor! Además, compró aquella antiquísima casa que solíamos visitar cuando novios, soñando poder habitarla algún día.

Hoy que buscó una mujer "nueva", nunca sabría si compró aquella casa, para darle en la cabeza o porque al fin pudo darse ese lujo, gracias a la esposa ahorrativa que compartió sus mezquindades, o porque ella y la otra tenían los mismos gustos...

—¿Cómo te atreviste, Daniel, grandísimo idiota padre de cuatro criaturas?, ¿le dijiste que tu mujer no te comprendía? Porque esa es una mentira artera, además de muy trillada, ¡y tú lo sabes!

Intentó sacar un numerito, de una máquina aparentemente descompuesta, en el departamento de salchichonería. Cuando le dio tres golpes y el aparato no soltaba prenda, acudió una señorita de punta en blanco y le preguntó qué se le ofrecía.

—"Salchichas, tocino, salami, queso y jamón..." Ja, se ahorraría las cervezas, ya no habrá quién se las tome.

—¿Entonces, qué fue? Si hasta es mayor que tú, grandísimo tarado... Muy buenas encamadas de seguro; pero ¿por qué no intentar conmigo primero? Estoy, incluso, mejor de lo que siempre estuve. Bien dicen que los celos, la envidia y el dolor transforman la figura, ¿no es cierto?

Era verdad que se habían casado muy jóvenes y la primera náusea del embarazo la tuvo al regresar de la luna de miel... Lo que creyeron había sido un pescado que se comieron, resultó ser su hijo Danielito, justo a los nueve meses.

—La honra le había rebanado los talones —sonrió al pensarlo— tal como la señorita rebanaba ahora finamente los tres cuartos de jamón... Lo que sucede, además, —pensó con una sombra de venganza en los ojos— es que este ingrato país de los maridos infieles no respeta siquiera el año mínimo, que marca la Ley, para volver a contraer matrimonio... ¡Qué dicha si estuviera embarazada y les pudiera anular la boda atestiguada por el mismísimo Presidente de la República!

—¡Ay Dios mío! ¿por qué no me hiciste un poquito arpía?

Esa mañana salieron las crónicas de sociales a todo color, en portada, y ocupaban casi la página entera. No pudo evitar leerlas con la misma avidez con la que podía engullir el desayuno que ese día prefirió no tomar por observar, atentamente, a la otra ataviada con un desilusionante vestidito en encaje negro que, rebordado y todo, resultaba bastante común para una boda, aunque claro, ya se sabe que el negro disimula un poco las caderas... Luego de leer de cabo a rabo todos los detalles empezó a dedicarse con empeño a un nuevo oficio: el masoquismo. ¡Como si fuera poco dar la mejor de las caras a los niñitos madrugadores y explicarles, con mirada de madre moderna que utiliza la psicología, la nueva situación de la familia a partir de ahora...!

—Va a ser divertido tener dos casas... la de su papi y la de su mami... No, no; yo no voy a estar aquí y allá... ¡Ya deja de preguntar sandeces, cariño! ¿Qué tal si eso se lo preguntas a papi cuando regrese de Europa...?

—Mami, ¿qué son sandeces?

—Pregúntale a tu papi, mi amor; él sabe mucho de eso...

Mientras recibía el paquete de carnes frías, olvidando dar las gracias, pensó: aprender masoquismo desde su propia casa y en sólo tres facilísimas lecciones, "curso especial para madres de cuatro niños pequeños". Primera lección: eres una divorciada. Segunda: también eres una cosa desechable, de envase no retornable. Una mujer de segunda, relegada, desplazada por otra ni siquiera mejor que tú ¿entonces?, ¿qué clase de bicho serás que te cambian por otra, incluso más vieja y usada? ¡Insufrible!, dirá todo el mundo... ¡Ella se lo buscó con sus aires de independencia y sabelotodo! Comentarían en adelante, las esposas bienavenidas que siempre desaprobaron tus comentarios según tú, honestos, para ellas simplemente venenosos... Tercera lección: todos te voltearán la espalda, finalmente, pues al no ser ya la señora de fulanito de tal, tendrás que ir por la vida aclarando ser la verdadera madre de tus propios hijos, a partir de que ellos lleven un apellido que tú ya no compartes...

Él te lo dijo muy claramente la última vez que se vieron: "Por favor, ya no te firmes con mi nombre porque se prestaría a confusiones."

—Seguramente deberé pedir permiso a papá de desempolvar su apellido, aunque a lo mejor a la madrastra no le parece y no me lo quiere prestar de nuevo... entonces, seré la señora "equis"...

—¡Conmigo no sigas con tus idiotas sarcasmos! —contestó Daniel, poniendo punto final a la conversación y dejando claro, como siempre, que su sentido del humor tampoco fue muy compatible...

Bueno, ¿cómo debo actuar? Nunca entiendes nada de lo que pasa o no lo quieres entender... ¿La ama? ¿Se casó con ella por su dinero, por sus relaciones, siempre mejores que las tuyas, eh?, ¿por su experiencia sexual, conocida por todo el mundo intelectual, de la industria y la política?, ¿en dónde? ¿En qué momento pasó todo? ¿Cuando experimentabas o tomabas tus famosos cursillos de actualización? ¿Mientras, cazadora de ofertas, recorrías los pasillos de cartón-latería, ejerciendo tu "cadena perpetua" a través de los supermercados de toda la ciudad? "Amor entre burócratas", le había llamado aquel pintor amigo que telefoneó con el entusiasmo del chisme recién horneado... "Ella fue mi amante —le contó—, pero cuando todavía éramos ambos muy, muy jóvenes... Ahora está bastante traqueteada, ¿no? ¿Qué le habrá visto tu marido? Si estás mucho mejor tú, cariño." De inmediato captó que esto último llevaba el mensaje del ofrecimiento para calmar una futura soledad... "¿Sabías que Clara Aurelia enmarcó mis antiguas cartas de amor y las tiene colgadas en su sala? ¿Acaso no tiene sangre en las venas tu ex? ¿O es que también me admira?"

Se sentía herida y tenía que admitirlo. Mientras escarbaba entre un montón de aguacates demasiado duros, se compadecía a sí misma y, un tanto alarmada, pensó que en adelante tendría que vivir instalada en la autocompasión...

—¿Cuál será el santo de la compasión? San Compadecido, apiádate de mi autocompasión y házmela más llevadera... ¿qué hice para merecer esto? Una buena esposa como yo, que nunca protestó por sus salidas nocturnas y frecuentes fines de semana "de trabajo"... Jamás lo molesté pidiéndole que les relatara un cuento a los niños en tanto que yo fingía creer los que me contaba a mí...

Después de todo, ella siempre respetó su calidad de prometedor hombre poseedor de una pujante energía, inteligencia y juventud. Comprendió cuando él necesitaba alejarse de los niños clasemedieros y consumistas que lo molestaban siempre con: "¡Papi, cómprame!, ¡cómprame!"

Entendió que la casa, siendo demasiado chica, podía resultar un tanto asfixiante para un hombre acostumbrado a solucionar solamente asuntos importantes dignos de un funcionario brillante. Asumió, lo mejor que pudo, la culpabilidad de su propia fecundidad al haber llenado la casa tan rápidamente con cuatro niños chillones y latosos.

En el fondo de sí misma supo, desde el principio, que debería refrenar sus sueños de "ser alguien", pasando de las flores de migajón a la escultura de gran éxito. Reprimió, por debajo de los jeans, las quimeras de toparse en cada recodo en pos de las ofertas, con un seductor de voz aterciopelada que le repitiera, camino a las verduras o la pescadería, "lo bella que uno es, la hermosa piel que se vislumbra en nuestro torneado cuello... sin olvidar el talle de sirena a pesar de cuatro hermosos, porque tienen que ser hermosos, chiquillos..."

Sin embargo, ella, grabado en su virtud el "hasta que la muerte los separe" se alejaría del fabuloso desconocido dejándolo desconsolado, al borde del suicidio... Suspiró, ¡sueños de betabel en oferta!, pensó, revisando una vez más la indescifrable lista, pringada de aceite y garrapateada por la muchacha todavía fiel, a pesar de que "el señor nos abandonó por otra".

—¿Acaso no contaba yo para nada? ¿Quién se preocupó nunca por saber si suspiraba por nostalgia, o de dolor en el esternón? Se suponía que yo era la mujer de la pareja, ¿no? El sexo débil, esa parte delicada del amor tierno y protector... Aquella que aguantó los gestos airados de la suegra cuando vislumbró la poca cosa que eligió "su super bebé". ¡Y pensar que ya me la había ganado! Hasta lloramos juntas esta especie de pesadilla cuando Daniel anunció que se casaba. Oh, estúpida, estúpida, ¿de qué había servido todo eso? Vestirte de gangas para ser ahorrativa y hacendosa... ¡flor de nabo! ¡Lechuga deshojada! ¡Jamaica desabrida! Sinuosa ama de casa todavía joven pero inservible para lo que no fuera conformar un harem... Madre prolífica ¡te hubieras casado con un ranchero! Ah, si creyeras en los conventos y hubiera orfanatos de paga y de primera... ¡Émula de sor Juana! ¡No, mejor de Juana Gallo! pensó en vengarse ¿pero, cómo? Sintió un retortijón porque no había desayunado y se topó con las vísceras sanguinolentas... Todavía te queda el recurso de fingirte enferma y tenderte en tu "lecho de rosas" matrimonial con colcha de cuadritos tejidos a mano, y, sin ensuciar el lado que él prefirió desde el principio, evadirte un par de días para que te sirvan todo en la cama... Te consoló el pensar que la sirvienta, en adelante, la tenderá cuando te levantes, sin necesidad de restirar su lado... Ahora podrás disfrutar sola tus lámparas compradas en La Lagunilla aquel mes de enero... Las de la base de cristal cortado que tu amiga mencionó que traían mala suerte.

El resentimiento en sí no es malo, le había dicho el doctor de la cabeza rasurada al que estaba acudiendo en pos de una terapia de apoyo que, finalmente, no le estaba apoyando nada. —"Usted tiene que aprender a liberar su resentimiento. No lo guarde todo en una cajita a la que después le echa un nudo ciego y le pone veinte candados... Recupere su capacidad de enojo. Si tiene ganas de armarle un buen escándalo, ármeselo..."

—¿Y quién pagará la fianza doctor? Sí doctor, como usted diga...

—Ahora vamos a tratar ese complejo de mujer rechazada...

—...Es que soy una rechazada, doctor ¡carajo! —pensó, pero solamente movió la cabeza fingiendo entendimiento. Si al menos se sintiera capaz de emitir un "carajo" de vez en cuando...

Dando vueltas y más vueltas en pos de una caja sin tanta señora con carritos repletos, volvió sobre sus pasos en busca del consabido olvido: los ajos y el pinol que la muchacha reclamaba, porque era lo único que olvidaba siempre. Sin embargo, pensó "yo sé que nunca voy a poder vengarme de ningún modo"...Recordaba cómo los hijos, niños al fin, peleaban entre sí el día entero. ¡Por favor, cálmense porque a papá le molesta! Entonces, ya callados, se miraban mostrándose la lengua y empujándose uno al otro... Sonrió al recordar que nunca había empujado a nadie. Cuando tenía como diez años le devolvió a su hermana mayor un empujón ante el cual se mantuvo inamovible y casi la mata del sentón que se dio, cuando la repelió con una sola mano...

Temblando de ira, recuerdas que intentaste defenderte a golpes y ella, flaca y correosa, mucho mayor que tú, te tomaba por las muñecas y lastimaba también tu orgullo con sus carcajadas... "Ése fue su primer rechazo", afirmaría el doctor Sinpelo. Sólo los mocos te impedían seguir dando la batalla porque empezaban a resultar salados y molestos, entonces te rendías una vez más y ella te soltaba las muñecas triunfante... Al cabo de incesantes derrotas aprendiste que antes que la humillación era mejor el autocontrol... Si te agredían, presurosa te ibas a esconder aguantando los sollozos. El mayor orgullo estribaba en que no te vieran llorar nunca.

Antes de acercarse a la caja nuevamente, se entretuvo en hojear una revista española con los mejores chismes del mundo de los "don" y las "doñas", personajes totalmente ajenos que nos hacen entender que todavía hay en el mundo nobleza y, además, rancia... Aunque no, no nos hagamos ilusiones. Tampoco se trata de nobleza del corazón precisamente aunque así se llame ese tipo de revistas "del corazón".

Mientras se repite que uno se puede resentir a solas y hasta darse el lujo de llorar si tiene un nudo no nada más en la garganta, sino en el alma y en todo el cuerpo, se forma en la fila de la caja intentando no golpear a nadie en los talones con el carrito repleto. Comparó el dolor en el talón con el de la espinilla y trató de encasillar el que estaba sintiendo con alguno de esos, o qué, ¿encerraría su alma en el garage de su cuerpo y le echaría también un candado? Intuyó, que se experimentan sensaciones secretas de dolor que no se notan para nada en los supermercados y que, incluso, se pueden probar las degustaciones mientras se arrastra un percudido amor propio, y hasta comprar sin pasarse de la cantidad estrictamente señalada semana a semana. —Hmmm, ¡qué rico, señorita!, ¿qué marca es?

—Voy a dejar de ir a "apoyarme" con el doctor Descabellado que, además, me cuesta y del que nunca puedo dejar de observar ese aire distraído con el que mira el reloj disimuladamente, tratando de que yo no me dé cuenta que lo estoy aburriendo... Y, justo cuando yo, por fin, me encarrero contándole que por años no había sentido nada de placer en la intimidad con mi marido, me sonríe amablemente y agrega: "se nos ha terminado el tiempo, desafortunadamente". Se dio cuenta que lo único que obtenía del doctor eran unos cuantos pañuelos desechables y la promesa de que *ambos* ganaríamos terreno muy pronto y que yo me volvería a sentir como un ser humano de nuevo... ¿o nuevo ser humano? "Sí, doctor, pero ¿de qué clase? Perdone la pregunta... ¿un ser humano descontinuado, arrumbado y echado a perder... un saldo de ser humano, doctor, una oferta? Recordó haber visto, o lo imaginó tal vez, la misma mirada airada en el doctor que le lanzaba muchas veces Daniel cuando se quejaba de su "insoportable ironía" que a nadie divierte más que a ti, para que te lo sepas... Por primera vez se preguntó a sí misma si lo que los demás esperaban de ella es que llorara en vez de ironizar y luego recordó que muchas de sus "ironías y sarcasmos" eran silenciosos, en su interminable diálogo interior ¿entonces? A lo mejor, simplemente les desagradaba su cara...

Cuando por fin pagó su compra del súper, con cierto consuelo pensó en el regreso a casa y acarició la convicción de que se puede llorar con la cara dentro del estuche de un disco (puesto a todo volumen), sentada en un oscuro rincón de la sala... ¡Mami es una sentimental!, ¡y un poquito cursi! Pensarían los hijos cuando lleguen a interrumpir, para acusarse uno al otro. ¿Otra solución? Cuando haya que llorar bien fuerte, uno puede encerrarse en la recámara y después en el baño, sollozando bajo la regadera; si se grita a todo pulmón, con la cara bajo el chorro del agua, se daría la impresión de que el agua está demasiado fría o muy caliente, o que se está haciendo gárgaras. También podrías esperar a que se duerman los angelitos, bajar al planchador y poner a funcionar la lavadora mientras se da rienda suelta a los berridos, con la ventaja además de sacar algo de ropa limpia... Otro recurso, más inmediato, sería tomar una cebolla y ponerse a picarla muy finito. Ni la sirvienta podría sospechar otra cosa que una súbita afición por la comida mexicana.

Mientras le entregaba su cambio, la señorita Michael Pérez, (el nombre en su gafete) le murmuró: "¿encontró todo lo que buscaba?" La voz de recién graduada en capacitación para cajeras la hizo dar las gracias sin saber muy bien por qué. —Esta hija de puta ¿no se estará haciendo la irónica? Lo pensó, mirándola fijamente. Últimamente no podía dejar de pensar con puras maldiciones. "Malas palabras", como diría su abuela. ¿Se me notará en la cara que mi marido se casó ayer con la otra?

Ella y el niño-cerillo terminaron de acomodar las compras en la cajuela, le dio la propina y se dijo a sí misma: ¿qué sigue?, ¿qué otra cosa?, ¿saldría disparada hacia su casa para que la carne no llegue "término medio" y la mantequilla y los huevos hechos soufié?, ¿correría a darse un baño con la cara metida en la regadera? Dominó, por un instante, el sentido responsable de la madre, ¿o culpable? La humildad de la culpa, la verdadera esencia de toda madre... —Podrías haber comprado algo para los niños ¿no? O, para la casa... ¿Y qué mierda me importa después de todo la casa? "La casa se la dejo a mis hijos", había dicho él. Ahora tú eres el ama de llaves, la inquilina de tus propios hijos, ¿ok? Con tu eterna indecisión por delante, contemplaste también la posibilidad de irte a meter a una exclusiva "boutique" de Polanco, entrar con aire de gran mundo y comprar el vestidito más caro que encuentres, cargándolo a la tarjeta (mientras no te la haya cancelado), sirve que te enteras si todavía funciona a tu nombre o no y si sí funciona, lo único que te perderás será la cara que pondrá cuando tenga que pagar la cuenta. ¿O prefieres irte a recluir lamentándote secretamente, enfundada en tu uniforme de ama de casa con niños y sin marido, para recibir las llamadas de las amigas de siempre que te dirán compungidas: ¿quieres que te acompañe? Vimos las fotos de Daniel con esa anciana con la que se casó ¡qué desgraciado!, ¡qué pena por los niños! ¿Y por mí?, ¿les dará pena también por mí? O pensarán que me lo merezco.

Decidió que no estaba para llamadas poco comprensivas. ¡Así se habla! "He aquí un hermoso estallido de decisión doctor Sinpelo." Compraría media tienda si se le antojaba. Sería consumista y derrochadora por los trece años que conjugó el ahorro como su mayor orgullo, firmaría y firmaría hasta que le saliera un callo en el dedo. Este ataque compulsivo podría venirle muy bien para un poco de autoestima futurista. También para cuando los amigos que le quedaran (aquellos que no fueron invitados a la boda del año) la vieran o se topara con ellos por ahí, con cara de conmiseración hacia las malqueridas. Ella sería la desechada del destino mejor vestida. Se iría de compras, pero no al gran almacén que albergaba el súper agobiante, donde se respiraba y se podía palpar el olor de gangas y de ofertas. Para empezar compraría varios perfumes que recubrieran el olor del talco y las paletas Larín.

Desechó la preocupación de "no te pases de la cantidad acordada", todavía faltaba que le dieran la copia del acta de divorcio que firmó apenas hace ocho días, la que por cierto, los abogados de él prepararon "para que ella no se preocupara por nada", y donde "ten por seguro que no les faltará nada a mis hijos"… volvió a preguntarse ¿y ella?, ¿a quién le preocuparía si a ella le faltaba algo? Claro que ahora no elegiría gangas. "Me vestiré de seda y lino para mostrarle al mundo un talle todavía juncal a los 31 años y cuatro fierecillas concebidas más por fallas del diafragma que por mutuo deseo inspirado a la orilla del mar, con desquiciante aroma de gardenias. Se enfrentaría a las vendedoras estilizadas y maquilladas para poseer a los hombres que les da la gana murmurando: "estoy buscando algo que me guste, señorita, no sé qué pueda ser…" En adelante no le quedaba más que el consuelo de ser "la repudiada más elegante de la ciudad". A pesar de que odiaba los horribles estampados, el color naranja y los encajes insufribles (sobre todo en una boda), iba a elegir una pieza de cada uno; también páshminas y cinturones, pulseritas y cualquier cosa que hiciera juego con lo que fuera le iría muy bien.

Sin importarle más que el "súper" se derritiera, se dirigió a la mejor zona, el "Rodeo Street" mexicano, prometiéndose con coraje que arrasaría con la tienda más cara y no pararía hasta que los pies le pidieran a gritos que se fuera a llorar un rato, (ahora tendría el pretexto de estar cansadísima) ni siquiera preguntaría los precios: ¡señorita, por favor, cárguelo a mi tarjeta American Express! Tampoco tendría por qué fingir ni disimular absolutamente nada. Ella no había asistido a una boda rimbombante el día anterior y, por lo tanto, nadie tendría que reconocerla entre el despliegue de personajes famosos que poblaban las páginas de sociales de los periódicos del día. Además, en la tarjeta decía claramente: Susana J. de Del Cueto, entonces, ¿quién podría adivinar por su cara, que aquel hijo de puta la había deshonrado convirtiéndola en una simple Ex...?

Las bailarinas se alejan
Bárbara Jacobs

Ahí, en el número doce de la calle de Cuyutlán
hay una casa que se distingue de entre todas las
de su cuadra por estar cubierta de hiedra tupida y
brillante. En el extremo derecho del segundo piso
se ve una ventana apenas iluminada; dentro, se escuchan los acordes de un piano y un violín que
reproducen, desde un viejo disco, melodías román-
ticas de otro tiempo. Es la última noche del año y
tras unas cortinas de gasa la señora Blanco baila.

La habitación aloja con dificultad uno que otro
mueble, y es en el reducido espacio que éstos dejan
en donde ella da graciosos pasos. Aunque a los setenta años el organismo exige precaución en sus
celebraciones, la señora Blanco se permite licencias
que la divierten. Hace rato brindó ante el espejo,
chocó las dos copas y se deseó un buen, buen año,
pues, como dijo su sirvienta alguna vez: "Se lo me-
rece." Hace rato, asimismo, hizo una llamada telefónica y, escupiendo discretamente las semillitas y
la cáscara, se comió, una por una, las doce uvas tradicionales.

Leve, descansa la mejilla sobre el pecho de una
pareja imaginaria. El retrato de su primer esposo
está guardado junto con el del segundo, en algún
cajón del armario. El hombre ideal con quien va y
viene se parece a ambos, dos fiestas que en el re-

cuerdo se han vuelto una; dos fiestas que en el recuerdo han descartado los malos momentos y conser-
vado sólo la risa, la abundancia, el oír y oír aquí
estoy, contigo, y soy feliz.

La señora Blanco con la copa en alto brinda
por ellos, estuvieran donde estuvieren. "¡Salud!", les
dice, y se tropieza, pero hace a un lado el dolor, con
el ademán de quien se quita, sin pensarlo dos veces,
un gusanito del hombro y sigue adelante.

Piensa en los vestidos que hizo durante largas
temporadas a las señoras más elegantes de la ciudad, y desea que aún los conserven. Recuerda con
gusto sus cuchicheantes y atropelladas pláticas, y
cómo cada una presumía de ser la cliente favorita,
cosa que en los sentimientos de la señora Blanco
todas fueron. Cuando se iban de prisa por la acera
con su traje de gala muy envuelto bajo el brazo,
ellas murmuraban que su modista era la mejor: no
sólo una gran artesana, sino además siempre con
algo bueno que decir, que si no hay mal que por
bien no venga, que si hay que ponerse en las manos
de Dios. Querida señora Blanco, parecían decir sus
clientes, querida señora Blanco.

Brinda también por ellas, estuvieran donde estuvieren. El coñac la favorece; ríe medio mareada al
sospechar que cuando salga el sol no va a pensar
igual. "Ya me pasará", se advierte.

Años atrás, en fecha semejante, soñó una dan-
za en la que cada bailarina muestra una manta brillante que dice: esperanza, alegría, desilusión; pero
cuando ella intenta acercarse a preguntarles qué le
quieren decir con eso, las graciosas bailarinas se alejan, porque la señora Blanco va en un tren, de paso,
y no puede detenerse.

Lecturas
Alejandra Rodríguez Arango

> *Rendirse*
> *a la gran certidumbre, oscuramente,*
> *de que otro ser, fuera de mí, muy lejos,*
> *me está viviendo.*
> PEDRO SALINAS

A Roberto.

Malena asegura al marido que lo que suscitó el embrollo fue la imprudencia del mesero, no debió preguntarle frente a todos su número de habitación, obligándola a responder: "Estoy en el 36, joven."

El marido la mira un tanto divertido, le agrada que su mujer se apasione al defender sus argumentos. Ella manifiesta que, desafortunadamente, todavía hay gente con poco criterio y son las mujeres las que se ven más expuestas. No puede reconocer ante él, ni por un momento, que el incidente se deba también a su forma tan sugerente de escribir.

Él la abraza y le recomienda que se acostumbre a ese tipo de situaciones. Ambos se van a la cama, él se duerme enseguida, agotado por cuidar a los niños durante dos días. Malena se arropa con la cobija hasta el cuello, dispuesta a olvidar lo ocurrido.

El sueño no acude con facilidad, su mente revive minuciosamente la pasada experiencia. Cierra los ojos y cuando las palabras de Emilio la envuelven no opone resistencia; las acoge, se regodea en ellas, las exprime intentando apoderarse de su esencia, las vuelve suyas…

—¿Quién habla? —murmura adormilada.

—Emilio.

—¿Quién? —pregunta confundida.

—Acabo de estar en la presentación de tu libro, me lo autografiaste, ¿recuerdas?

—Sí, sí, recuerdo —miente—, ¿qué pasa?

Malena espera, todavía sin entender.

—Quiero verte —confiesa él.

—¿Qué? —exclama sorprendida, incorporándose en la cama.

—Quiero verte —repite—. No puedo dejar de pensar en ti.

—Ya estoy en la cama, digo, estoy en pijama…

—Mejor aún.

—¡Qué te has creído! —replica molesta—. Déjame dormir.

Confundida, cuelga el teléfono. Intenta recordar cuál de las personas que se unieron al grupo para ir a cenar era Emilio. Estaba la directora del Museo, el poeta que presentó su libro, la pareja de escritores casados, dos chicas y tres jóvenes…

"Sí, el de los ojos claros, ese es Emilio. Con razón insistió en pagar la cuenta de todos, pretendía lucirse. Claro, ahora entiendo, la camisa de marca y el pelo engomado, es un snob cualquiera. Hay gente que cree que su situación económica y su status les abren todas las puertas. Pues conmigo se equivocó, esta puerta no se abre."

Sin saber cuál sentimiento predomina en ella —si el enojo por ser despertada y tomada por una cualquiera o el halago de sentirse deseada—, se acurruca nuevamente entre las sábanas cubriéndose hasta el cuello, como es su costumbre.

Sonríe al imaginar la cara del marido cuando le cuente. "Le vendrá bien, por burlarse tanto de mí. No entiende que no puedo dormir sin taparme 'hasta las orejas', como dice él. ¿Poco sensual?, pues mira las pasiones que tu mujer despierta en los jovencitos."

Con la sensación de haber sido resarcida, finalmente consigue reconciliar el sueño. El repiqueteo del teléfono la despierta en la madrugada. Preocupada descuelga, pensando automáticamente en sus hijos.

—¿Qué pasó? —inquiere alarmada.

—No puedo dejar de pensar en ti, de fantasear contigo.

—¿Emilio?

—Tus cuentos me encantaron, pero conocerte me cautivó.

—Ya estaba dormida… —reprocha.

—Tengo tu sonrisa grabada, la luminosidad de tus ojos —interrumpe él con voz melosa—. Ábreme.

—¡Estás loco!

—Con un beso me conformo, te lo prometo, me voy antes de que amanezca.

—No entiendes, estoy casada y tengo hijos.

—No me importa. Te juro que nunca me había pasado algo así. Me cautivaste.

—Estoy f-e-l-i-z-m-e-n-t-e casada, Emilio.

—Paso sólo un momento —insiste—. Estoy frente a tu hotel.

—¡No! Y ya deja de molestarme.

—Ah, ¿te molesto? —replica amenazante.

Malena enmudece, asustada por el tono de voz. Se siente vulnerable en ese diminuto cuarto cuya única seguridad es el pasador de la manija.

—Déjame ser tu masajista o, si prefieres, me convierto en tu Casimiro… Permíteme entrar en tu santuario —susurra él.

"¡Está citando a mis personajes! ¡Condenado Casimiro! Quién me iba a decir que alguien desearía convertirse en gato para excitarme. ¡Pero qué tipo, se ha apropiado de mis historias y pretende transformarlas en vivencias personales!"

Desorientada, calla. En la habitación sólo se escucha su respiración y la voz del auricular, esa voz que no cesa…

—No puedo dejar de pensar en tu blusa tan sinuosa, en el blanco encaje escapándose por momentos de tu pantalón negro…

Malena no responde.

—No podía quitarte la vista de encima. Sólo pensar que te vas mañana al mediodía y no volver a verte, me encabrona.

"¿Cómo sabe a qué hora me voy?" Asustada, abraza la almohada.

—Si quieres ven mañana al desayuno que me ofrecen —invita, dudosa.

—No, porque mañana vas a ser de todos y yo quiero que seas sólo mía.

—Discúlpame pero es lo único que puedo decirte.

—Tan sólo poseo la foto de tu libro y no me basta. Necesito un beso —demanda.

—No, y ya déjame dormir. Tengo que descansar.

—Vas a abandonar a un enamorado aquí. En verdad me…

—Adiós —interrumpe colgando el teléfono.

Con la almohada aún abrazada y la respiración contenida, escucha. A lo lejos se oyen ruidos de pasos, llaves, puertas. Su nerviosismo aumenta. Un golpe sordo procedente del cuarto contiguo la sobresalta.

Malena descuelga la bocina precipitadamente y marca a la recepción. El teléfono suena varias veces antes de ser atendido. Una voz adormilada le pregunta qué desea. Ella exige que no le pasen más llamadas al 36, explica que la están molestando. El recepcionista no parece darle mayor importancia a sus palabras. Malena pregunta si hay forma de que alguien se cuele hasta su puerta. El hombre niega en tono burlón. Asegura que la puerta de acceso está cerrada y él vigilando.

Encolerizada, cuelga. Desconfía de la seguridad del hotel con un vigía dormido. Temerosa, coloca una diminuta mesa contra la puerta a modo de obstáculo. Vuelve a la cama y se tapa con la cobija hasta el cuello. Esta vez el gesto no le proporciona la seguridad esperada.

Durante varios minutos contempla las sombras en la pared. El oído alerta a cualquier sonido. Vencida por el cansancio, lentamente se adentra en ese momento que siempre le ha fascinado: el instante entre la vigilia y el sueño. Para ella es entonces donde aflora la verdadera esencia de uno; los deseos, los miedos y las perversiones emergen del inconsciente, turbándonos a medias y dejando en nosotros un dejo de extañeza.

Aún dormida, las palabras de Emilio la acosan: déjame ser tu masajista, tu Casimiro, entrar en tu santuario. Su cuerpo, sudoroso, da vueltas en la cama. Sus manos buscan inquietas. No puede evitar cuestionarse cómo hubiera sido. Entonces, la fantasía llega.

Emilio no se presenta al desayuno y Malena —aparentemente— lo agradece. Adelanta su regreso para no encontrárselo en la estación de autobuses, en caso de que su osadía llegara tan lejos.

Pero llega más lejos todavía porque, a partir de ese día, él acude a todas las presentaciones que la escritora hace de su libro a lo largo de la República.

A causa de lo acontecido con Emilio, Malena va dispuesta a no hablar con nadie que no sean los periodistas y a mantener una actitud distante con el público. Cuando comienza la lectura de uno de sus cuentos, lo presiente. Alza la mirada y ahí está, en la última fila, sonriéndole. Turbada, tartamudea. Se precipita en la lectura para acabar pronto y escabullirse.

Sin embargo, al terminar, el presentador invita a los asistentes a manifestar sus dudas o comentarios a la autora. Malena responde cortante, seca, deseosa de desalentar dicho intercambio. El público guarda silencio, receloso, pero Emilio no se desanima.

—¿Qué tan profundo penetra la lengua del gato en la vagina? ¿Tanto como un dedo o más? —pregunta con voz sonora, levantándose.

—Yo, no… —balbuce Malena— …No lo sé.

—¿Es lo rasposo de la lengua o más bien su tibieza lo que brinda placer? —inquiere nuevamente, aún de pie.

—No, es decir… —titubea ruborizada.

—Es importante analizarlo a conciencia para valorar la credibilidad del papel que desempeña Casimiro.

Malena decide contestar sin evasivas, dándose cuenta de que Emilio no desistirá en su intento por cercarla.

—Ambos factores, tanto la facilidad de desdoblamiento como la aspereza y humedad de la lengua del animal, contribuyen a la excitación de la protagonista.

—Una última duda.

Ella se limpia el sudor de la frente y desvía la mirada.

—¿Cuál es tu flor favorita?

Lo observa fijamente. Escudriña en los ojos el buscapié que la lengua le tiende, la picardía.

—Tulipán rosa.

Malena se apresura a autografiar los libros, ni siquiera consulta a quiénes van dirigidos. La gente se decepciona y la fila se disuelve rápidamente.

Le llega el turno a Emilio, quien, durante varios segundos, le devuelve la mirada intensa de la que antes fue objeto. Ella se percibe desnuda, vulnerable. Su cercanía la perturba. Garabatea su firma y huye.

Esta vez no cuenta al marido ni una palabra de lo acontecido. Tanto Emilio como las sensaciones que su cercanía le despiertan se convierten en un secreto.

En su siguiente encuentro él acude con un tulipán rosa. Al tomar la flor, los dedos de ambos se rozan. Malena retira los suyos precipitadamente, frotándolos como si pretendiera aliviar una herida.

La dinámica en sus presentaciones se vuelve una rutina: inevitablemente al llegar, ella lo busca con la mirada entre el gentío. Al no encontrarlo sus ojos pierden brillo. Emilio disfruta el momento en que sus miradas se encuentran. La luminosidad retorna a las pupilas de Malena, aunque no se atreva a confesárselo a sí misma. Él siempre la escucha atento, aplaudiéndola y abordándola con cuestiones indiscretas.

Poco a poco obtiene información sobre sus preferencias con preguntas hechas en público que ella se ve obligada a contestar. Invariablemente, la siguiente vez que vuelven a verse, premia la confesión ya sea con su chocolate predilecto o canción favorita.

En una ocasión la sorprende al obsequiarle un libro de Pedro Salinas, subrayado. Malena padece un escalofrío que se le atora en la garganta al comprobar que los versos elegidos coinciden con los suyos, con su sentir, con su credo.

La sensibilidad de Emilio comienza a inquietarla. No se explica la agudeza de su percepción. Es como si las historias que Malena escribe le bastaran a él para conocerle el lado oscuro, lo inconfesable. Ella se sabe en evidencia y eso la desconcierta y, a la vez, la excita.

En su siguiente presentación lo cita en un café. Ansiosa, escoge la mesa más apartada. Los minutos transcurren y su agobio aumenta. "¿A qué juega?", se pregunta. "Ya me tiene aquí, ¿qué quiere?"

Espera un tiempo hasta que nota un dejo de lástima en los ojos del mesero. Pide la cuenta y, cuando está por irse, el mesero, que ha sustituido la lástima por la extrañeza, le entrega un sobre. Es un sobre blanco, común y corriente; desconfiada le da vueltas. La intriga vence a la prudencia: finalmente lo abre e introduce los dedos buscando el papel. En vez de la hoja, toca algo pegajoso, espeso. Asqueada, se mira la mano. Con un grito se levanta y derrumba la silla. El mesero acude solícito, la gente cuchichea alrededor.

Malena abandona el café y emprende una frenética carrera. Unos brazos la obligan a detenerse y la aprisionan con firmeza. Emilio la mira, ella le grita una serie de insultos que él recibe sin inmutarse. Como la perorata no parece finalizar, la besa en los labios, con un beso violento. En un principio ella se resiste, pero él la estrecha aún más. En respuesta permanece tensa. Después de un rato, Emilio la suelta. Malena no consigue moverse; una vez más se advierte indefensa, subyugada y con el cuerpo tembloroso.

—Te dije que sólo quería un beso —explica él.

Ella lo mira, perpleja. Aturdida gira y, muy lentamente, se aleja. Emilio no la detiene. No obstante, cuando ella llega a la esquina, él grita su nombre. Malena vuelve sobre sus pasos hasta quedar de nuevo frente a él.

—Calma, ya eres mía —le susurra Emilio al oído.

Ella comienza a sollozar suavemente. Las pupilas reviven. Lo observa alejarse. Con las mejillas empapadas, se abrocha el abrigo hasta el cuello, en busca de protección. Sabe que no la habrá.

Ping pong
Ethel Krauze

—Quiero hablar contigo —dijo cuando Alma ya se había levantado colgándose la bolsa en el hombro. La comida había terminado. Nada importante. Pero la madre había esperado este momento en que por fin estaban solas.

—De qué —dijo Alma adivinando con impaciencia, con temor.

—Tu papá está muy preocupado.

—¿Y por qué?

—No son chantajes ni manipulaciones, te digo lo que él me ha dicho.

—De qué estás hablando.

—Por qué ya no has venido a vernos...

—¡Ah...! —se sentó Alma. Sacó un cigarro. Lo encendió lentamente y siguió con los ojos el humo que se perdía en la lámpara. Vio el reloj—. He estado ocupada.

—Es que tu papá piensa, bueno, me ha preguntado, ya no sabe qué pensar.

—No hay ningún misterio. Mucho trabajo.

—Sí, sí, pero ya sabes, tú eres como su sol, y si no te ve...

—¡Pero por Dios!

—Eso le he dicho, pero el día ése que hablaste para decir que te ibas con unas amigas de fin de semana, pues él empezó a pensar no sé qué cosas.

Alma soltó una carcajada.

—¡Esa vez le dije la verdad! Pero supón que no, ¿le gustaría que se la dijera?

—¡Si se lo dije! Pero él quiere que tú estés bien.

—¿No estoy resplandeciente?

La madre la miró de golpe. Trató de sonreír. Alma dio una sonora fumada, y entrecerrando los ojos se alborotó la melena.

—Mira mamá, ya no tengo diecisiete años. No vivo en esta casa.

—Nadie te está reclamando. Sólo que uno tiene derecho a pensar. Hace tanto tiempo que no vienes, no sé si sea cosa de tu análisis.

—Tal vez. El análisis me ha hecho ver dónde andaba mal. Imagínate: ¡refundirme días enteros como tullida con mamá y papá!

—¿Ya ves? Es lo que yo pensé.

—Pero eso no quiere decir que tengo prohibido verlos. Me he llenado de gente, de invitaciones.

—Qué bueno. Pero como tú no dices nada…

—No hay gran cosa qué decir.

—No que me meta en tu vida, pero caramba, tener una idea, siquiera una orientación —dijo la madre después de una pausa, como si la hubiera necesitado para medir con tiento cada sílaba—. Por ejemplo, ¿ya pensaste en la edad que tienes?

Alma se azotó contra el respaldo, ahogada de risa. Tosió. Se sonó estentóreamente la nariz. Tardó en calmarse. La madre la miraba, imperturbable.

—Hay ciertas ideas, mamá, que ustedes deben desterrar para siempre de su cerebro. Las deben asesinar y enterrar en el sótano.

—Entonces, ¿no piensas casarte?

—¡Ja, ja, ja!

—¡Pero por qué!

—Por qué, pregunto yo.

—Es que tu papá...

—Ya deja de usar a mi papá —saltó Alma. Tanto prólogo para llegar a lo de siempre. Pero esta vez la madre sacaba una nueva arma: la serenidad. Y con la serenidad la paralizó. No hubo modo de echar a correr.

—Tu situación, ¿es la misma desde hace... algunos años?

Alma se irguió en la silla. Dio varias breves fumadas como si quisiera esconderse tras el humo, y enfrentándose por fin, le dijo:

—¿De veras quieres saberlo?

—Sólo quiero saber —dijo sosteniendo la mirada, el mentón recostado en la palma de la mano. Negras y aún brillantes ondas le enmarcaban la cara como jirones de juventud que se niega a desaparecer.

—Pues hasta hace poco te morías si se mencionaba.

—Hasta hace poco.

—¿Y?

—No me he muerto.

—Yo nunca pensé que te murieras.

—Yo sí.

—¿Que me muriera yo? —preguntó Alma seriamente.

—También. Pero afortunadamente, aquí estamos las dos.

—Para hablar otra vez.

—¿Por qué no? A pesar de todo siempre nos hemos entendido.

Se sonrieron mirándose casi con fatiga, casi con ternura.

—Pues que conste que tú me lo preguntaste, mamá.

—Que conste.

—Sigue siendo la misma. Claro, con variantes.

La madre no se movió. Lanzó de frente la siguiente pregunta:

—¿Ya se divorció?

—No —contestó Alma, felicitándose por su tranquilidad.

—Te lo dije —dijo exhalando casi mórbidamente.

—Sería inútil. A mí que no me hablen de domesticidades. ¡Eso de estar viéndose las caras las veinticuatro horas del día...! Muchas gracias. Ya lo viví en mi matrimonio. Pero qué te cuento, tú eres experta.

—Tiene sus ventajas —dijo la madre, retadora en su penumbrosa belleza cada segundo más evidente.

—Sí, claro, las de tener que regresar corriendo a la casa como perfecta esposa.

—No era tan difícil. Siempre he disfrutado la casa.

—Te felicito. Pero yo vivo con más sencillez. Con todas las ventajas de la mujer casada sin sus latas, y con todas las de la soltera sin sus lloriqueos. Cuando estoy sola hago lo que me da la gana, me muevo. Y cuando estoy con él me muevo, hago lo que me da la gana. Entiendes, ¿verdad?

La madre asentía, levemente sonriente su rostro inmóvil, y se le torció un segundo ácidamente la sonrisa.

Llegó la criada. La madre resolvió velozmente el problema y volvió a su postura: los ojos fijos en los ojos de Alma, el mentón recostado en la palma de mano, esa mano aceituna, tersa todavía y de finas uñas pintadas de rojo:

—Y... ¿qué hay de tener un hijo?

—Qué hay de tenerlo —dijo Alma, su tono era casi un desafío.

—¿Vas a renunciar a eso? —insistió.

—¿De cuándo acá te nació el afán? Hubo un día en que casi me lo prohibiste.

—Eso fue antes.

—Dijiste que no lo soportarías.

—Eso fue antes.

—¿Y ahora?

—No me importa.

—Entonces, ¿para qué me preguntas?

—Para saber.

—¿Como madre abnegada?

—Abnegada no.

—Entiendo, claro. Pues ahí te va una buena noticia como madre *a secas*: el médico dice que todo es cuestión de decidirse —dijo Alma resbalando irónicamente la frase.

—Sí, qué bueno —respondió la madre, con tranquila sequedad.

—Y dijo que todavía puedo esperar un buen tiempo para empezar a decidir.

—Acuérdate que a tu edad...

—Olvídalo, son mitos abueleros. Por lo pronto no es un problema. Además un hijo nunca debe ser visto como un problema, se tiene por voluntad, no para cumplir programas, ni para usarlo como venganza o botín. ¿Te acuerdas que de recién casada me obsesioné con la idea de tener un hijo? Pues me di cuenta que lo quería sólo para tratarlo como tú no me trataste y demostrarte así lo que es ser madre. ¡Qué imbecilidad!

La madre dio un gran sorbo de café ya helado.

—Y si te decides, ¿será con... él? —preguntó como si no hubiera oído lo anterior.

—¿Otra vez con violines sollozantes?

—Sólo quiero saber.

—¡Por supuesto que sí! Yo no voy a tener hijos con hombres que no amo.

—¿Tendrás un hijo sin padre?

—¡Dios de mi vida! Por favor no digas esas frases, no tú.

—Te hablo en serio.

—No, no creo que con toda seriedad digas esas estupideces.

—Él no se ha divorciado.

—¿Y a mí qué me importa? Para tener un hijo lo que se necesita no es precisamente un papel...

—Pero para criarlo como es debido.

—¡Mamá, qué te pasa! De veras, me asustas.

—Yo sé de lo que estoy hablando.

—¿Ah sí? Pues fíjate que vengo de familia de cuento, con papá, mamá y hermanitos, como dibujo de kinder, con casita y flores en el jardín, todo en regla por escrito y firmado, ¡y mírame! ¿Cómo la ves desde aquí? —dijo Alma atropellándose, los ojos temblorosos.

—¡Ya me cansé de que me hagan sentir culpable! —alzó la voz la madre mirando un punto fijo en la pared—. Ya les dije que yo no sabía de psicología y de cómo tratar a los hijos. ¡Para mí eran como... como animalitos!

—Así nos criaste. Pero no hables en plural. Estoy diciendo lo mío.

—¡Es que ya me hartaron con sus quejas! —enronqueció la madre.

—Ya, no volvamos a lo de siempre. Me aburro horrores.

—¡Pues yo también!

—¿No estabas preguntando?, ¿no te sentías muy valiente?

—Sí, sí, sí... —dijo la madre, recuperándose aprisa.

—Un hijo, pues, lo único que necesita es que su mamá lo quiera. Entre tú y yo... bueno, ya sabemos, no te estoy culpando, simplemente así fue. El caso es que me he pasado la vida buscando tu teta en todas partes. En marido, en amantes, en amigas, en el psicoanálisis, en lo que se te ocurra. Para sentirme querida he tenido que satisfacer a los demás, y yo me he frustrado. Pero estoy aprendiendo a ser mi propia dueña. Y para vivir el amor yo escojo al hombre, yo decido, con habilidad, la misma que tú tuviste para hacer lo que se te dio la gana. A lo mejor eso es lo que te he heredado, ¿no crees? Sólo que mi habilidad es menos ambiciosa. Me conformo con la mitad.

La madre soltó una sonrisa que parecía gemido. Y bajó los ojos. Alma continuó:

—Y otra cosa, por favor: ni me menciones el futuro. No me importa. El futuro está allá, en el futuro.

—Después de todo, tienes razón. A veces la vida da un giro que no te esperabas... —dijo la madre arrastrando la frase, dejándola caer con un vago suspiro.

—Sí... —dijo Alma desviando la vista—. ¡Y qué giros!

Se quedaron calladas unos segundos. Alma se sacudió. Vio el reloj. Se levantó:

—Bueno, pues así está todo. Habla con mi papá. Ya sabrás cómo. Pero no vuelvas a usarlo para saquearme. Él está fuera de esto. No lo jodas.

—No sabes lo que he hecho por tu padre.

—Sé perfectamente lo que has hecho de mi padre.

—Si no fuera por mi habilidad, ésa que tanto me aplaudes, tu padre no te vería con tan buenos ojos.

—Muy agradecida.

—Lo hago por él.

—¡Lo haces por ti!

—Ponlo como quieras. Lo único que te pido es que vengas por lo menos cada quince días. Hazlo por él.

—Si no había venido era por ti.

—¡Ah...! por mí.

—¿Para qué finges, mamá? Parecería que no llevamos una hora hablando. No querías volver a verme nunca más: eso dijiste.

—También te dije que por ti daría la vida.

—No necesitaste darla.

—Casi, hija, casi. A ver tú qué es lo que vas a dar. Ojalá no te cueste tanto.

La madre desmoronaba el pan mirándose las manos. Alma se vio entre la mesa y la puerta. No sabía si sentarse otra vez o salir corriendo.

—Ya es muy tarde —dijo sin pensar.

—Que te vaya muy bien —dijo la madre, levantándose.

—Nos hablamos.

—Sí.

Se besaron fugazmente las mejillas. Se miraron un momento a los ojos, un momento de ardiente oscuridad.

Todo estuvo bien, pensaba Alma cerrando la reja. Es la primera conversación tranquila sobre el mismo tema. Llegó a su coche, lo abrió, entró, encendió el motor, pero antes de arrancar se acodó lentamente sobre el volante. ¿Qué tendrá ese hombre?

Hizó las cuentas: ya lleva cuatro años con ella, más los diecinueve de la madre... ¿Pero qué tendrá ese maravilloso animal?, pensó casi en voz alta.

—¡Carajo! —se oyó decir, mientras chillaban las llantas con el acelerador hasta el fondo.

Inocencias hitlerianas
Ana Clavel

"Quiero tu pubis de niña", dijo mi hombre mientras conducía el auto que nos llevaría esa noche hasta su casa. Después de recogerme en el aeropuerto se había dirigido a un restaurante donde cenamos sonrientes y silenciosos. Bueno, la verdad es que las miradas también nos alimentaron luego de meses en los que sólo habíamos mantenido contacto por teléfono y correo electrónico.

Con certeza, sólo sabía tres cosas de él: que le gustaban los autos deportivos, que no bailaba tango aunque era argentino y que le apasionaban los libros que hablaban de la memoria. Había sido arriesgado viajar para conocerlo pero me decidió su indecisión, su escamoteo de agente viajero pernoctando en diferentes ciudades, su irrefrenable postergar nuestras citas.

Una mañana tomé el teléfono y lo enfrenté: "Iré a California..." "¿Cuándo?", me preguntó sobresaltado. "Cuando tú estés..." No tuvo más remedio que aceptar.

Entre los preparativos del viaje una amiga me sentenció: "Cuidado porque los argentinos las prefieren depiladas." Ante mi sorpresa, ella insistió: "Sí, depiladas, rasuradas, ni un pelo en la sopa o cuando más una raya a lo Hitler..." Me negué rotunda: "Pues por ahí empezamos a discrepar. O me acepta con pelos y señales o no habrá trato."

Pero mi deseo crecía conforme los días que nos separaban para el encuentro se deshojaban. Alguna vez él me había dicho que desde su departamento se veía el mar. Imaginé que mi deseo era una marejada que se alzaba hasta el piso 22, que mi hombre abría la puerta del balcón y que mi ola gigantesca lo inundaba.

Salimos del restaurante y jugamos en el trayecto. "Te voy a devorar toda la noche", amenazó sin miramientos. Me besaba en los altos y toqueteaba mis senos y mis piernas. Ya casi para llegar escondió su mano en mi pubis y lanzó su súplica que era orden que fue promesa: en sus manos volvería a ser púber otra vez.

Urgidos por tanta espera comenzamos a desvestirnos desde el elevador. Apenas entramos al departamento me condujo al baño entre besos y caricias sedientas. Entonces me apartó un instante para hacerse de tijeras, rastrillo, espuma. De modo que no era mentira. Obediente, lo dejé hacer. Se aplicó a la tarea de rasurarme como si podara un jardín de flores: cuidadoso, intransigente. En el espejo descubrí que mi pubis, albeante salvo por una misericorde línea central, sonreía con un virginal pudor neofascista.

Me cargó en brazos hasta la cama. Comenzó a besarme con besos cortos y saltarines. Me tocaba con una delicadeza vehemente como si fuera yo una muñeca de porcelana y temiera romperme. De pronto, se detuvo: al pie de la cama hincó la rodilla y me ofreció hacerme un pastel, llevarme al acuario, mostrarme el final del arcoiris si me abría de piernas y lo dejaba contemplarme.

Mi pubis esbozó una carcajada franca, gozosa, impúdica para él. Yo me saboreaba su fascinación, su mirada eréctil que me esculpía como una estatua viviente. No pude resistir más. Al borde del naufragio, intenté atraerlo hacia mi interior para que juntos nos ahogáramos. Mi hombre dio un salto hacia atrás. Su cuerpo antes vigoroso era ahora el de un chiquillo: "nunca he violado a una niña", gimoteó incapaz.

Una hora más tarde estaba de regreso en el aeropuerto. Me marché con mi deseo. Tan intocado como una núbil ola adolescente.